TANT QUE NOUS SERONS ENSEMBLE

Dépôt légal juillet 2021

ISBN : 979-10-699-7426-5

TANT QUE NOUS SERONS ENSEMBLE

roman

Élise MARTY GAY

À mon grand-père,

1

L'impasse Victor Hugo, proche du Canal du Midi, se composait d'un amas d'immeubles gris et fades. La moindre parcelle de terre était ensevelie de bitume, lui-même écrasé par une voiture de la même teinte. L'intérieur des bâtiments ne réconfortait pas la rétine. Un horrible carrelage beige recouvrait le sol jusqu'au plafond, si bien que le bruit de la porte d'entrée se répercutait en écho dans les étages.

Dans l'un d'eux, entre le troisième et le quatrième, se trouvait la structure d'un convertible plié en canapé. Coincé entre le mur et la rambarde de l'escalier, il raclait l'un ou l'autre, avançant péniblement d'un demi-centimètre, puis reculant de quatre.

Émilie tirait de toutes ses forces pendant que son frère poussait de son côté. Attaquer sous cet angle avait été une mauvaise idée. Forcer le passage, une stupidité abyssale.

Épuisé par l'effort, Thomas lâcha prise. Le canapé ne

bougeait plus, bloqué dans le virage. Dépité, il s'allongea à même les lattes et, entre deux expirations d'agonie, s'adressa à sa sœur :

– Tu m'apporterais une bière ?

– Si on fait une pause maintenant, on va jamais reprendre.

– S'teplait !

– Crève.

Émilie râlait, assise sur la dernière marche. Il ne lui restait pas plus d'énergie qu'à son frère. Un orage se préparait, rendant la peau pégueuse et l'air irrespirable. Elle s'essuya le front couvert de sueur et contempla leur bêtise. Cinq mètres. À peine cinq mètres les séparaient de l'appartement et d'une sieste méritée. Mais se flageller ne changerait rien. Émilie se releva, franchit les quelques pas jusqu'au studio. Il devait faire deux fois la taille de sa chambre d'ado, à peine. Difficile à dire avec tous ces cartons empilés dans la pièce. La salle de bain était minuscule, tout juste fonctionnelle. Pourtant, elle s'y sentait à l'aise. C'était son petit nid à elle, le premier.

Émilie sortit deux bières fraîches d'une glacière et retourna vers son frère. Il était toujours allongé sur le canapé, une main derrière la nuque, la respiration lente du dormeur. Quand elle appuya le verre froid contre son visage, Thomas ouvrit de grands yeux confus et dit, bâillant :

– J'ai textoté ma petite femme, elle arrive à la rescousse. À défaut de biscoteaux, elle a un gros cerveau.

– Vous partez à l'aéroport après ?

– Pas forcément. Si tu veux qu'on reste pour déballer il doit y avoir moyen de s'organiser.

– Je me débrouillerai, c'est déjà gentil d'être revenus pour moi.

Thomas souffla du nez, comme si sa sœur venait de faire une blague. À cette heure-ci, il aurait dû être en Norvège, en train de prendre des clichés pour le magazine où il travaillait mais, à cause du déménagement, son frère avait allongé ses vacances de quelques jours. Émilie ne savait pas ce qu'elle aurait fait sans lui.

– C'est confortable ? demanda-t-elle.

– Royal.

Thomas ne trouva plus sa situation si intéressante quand sa sœur posa un pied sur une latte et chercha à le rejoindre. Il gesticula pour garder la place, répandant des flaques de bière dans l'escalier. Soudain, ils s'arrêtèrent ; le canapé vibrait.

Durant une seconde d'accalmie, ils se lancèrent un regard terrifié. Puis le canapé dévala les marches jusqu'au mur. L'impact envoya Émilie sur le côté et sa bière explosa en milliers de morceaux. La surprise passée, ils éclatèrent tous les deux de rire.

– Y a plus qu'à tout nettoyer, fit Thomas.

– Au moins il est plus coincé, dit-elle.

– Positive attitude.

Le lendemain, Émilie se réveilla seule dans le studio. L'effet d'un coup de massue derrière la tête. Les murs étaient nus, les placards vides, les meubles encore en vracs sur le sol. Un ensemble sans vie, sans charisme, à décorer de toute urgence. Les yeux collés de fatigue, elle chercha à tâtons des vêtements.

Un short, un haut. De quoi sortir sur le balcon sans donner aux voisins des raisons de mater. Le store remonta dans un couinement rouillé, presque comique.

Dans un rituel, Émilie commençait ses journées par un bain de soleil et une tasse de thé. La tranquillité de sa campagne natale laissait la place à la pollution toulousaine. Pas un oiseau dans le coin mais les klaxons d'un embouteillage. Ses yeux habitués aux verts de son jardin ne trouvèrent que des nuances de gris et la conclusion qu'elle tira fut sans appel : Émilie détestait la ville.

De retour à l'intérieur, elle fixa les cartons, dans l'espoir qu'ils se rangent d'eux-mêmes. Constatant qu'elle n'avait toujours pas de pouvoirs télékinétiques non plus, elle se vautra sur son lit, attrapa la manette de sa PS4 et lança le dernier Sherlock Holmes.

Son téléphone sonna à un moment si intense que, même lorsqu'elle vit le nom de sa meilleure amie s'afficher, Émilie hésita à lâcher son jeu pour répondre.

– Alors, l'indépendance ? demanda la petite voix du téléphone.

– Tu crois que ça existe les universités en pleine campagne ?

– T'as déjà le mal du pays ? Il fallait partir en agriculture en fait.

– Grave, fit Émilie.

– T'as passé une bonne fin de vacances ? Ça me fait trop bizarre de pas t'avoir parlé pendant deux semaines…

– Comme elles ont commencé.

Émilie serra les dents. Charlotte reprit, d'une voix plus douce et attentionnée :

– Tu tiens le coup ?

– Il faudra.

Un silence gênant coupa la conversation. Émilie fixait son écran, un sentiment diffus de dégoût dans la gorge.

– Tu me racontes l'Espagne ? elle demanda finalement.

Charlotte hésita mais, devant l'insistance de son amie, elle entama le récit de ses vacances. Émilie profita du monologue interminable pour arrêter d'écouter. Elle traîna le téléphone jusqu'à la salle de bain pour se brosser les dents, n'intervenant que par petits bruits.

Machinalement, elle glissa à son poignet les bracelets de sa collection. Un fourre-tout plus ou moins harmonieux de souvenirs de voyages. Sa passion il n'y a pas si longtemps, dans une autre vie. Depuis, elle regardait ses bijoux comme ceux d'un étranger.

– ... Enfin ça a vraiment été une très bonne semaine, conclut Charlotte.

– Tant mieux.

Émilie fixa son image dans le miroir. Pâle, triste, morne. Elle n'allait pas se mettre à déprimer, quand même ? *Carpe Diem* ! Se bouger les fesses et aller cueillir sa journée. Elle se frotta le visage pour finir de se réveiller et reprit son téléphone en main.

– On pourrait se voir ? demanda-t-elle. Je me le sens pas du tout de sortir seule dans un endroit que je connais pas mais si je reste cloîtrée dans mon appart', je vais devenir folle.

– Depuis quand ça te dérange ?

– J'ai rendez-vous avec mon père en fin de semaine.

Inutile d'en dire plus. Charlotte était son amie depuis des années, elle savait dans quel état le père d'Émilie pouvait la mettre.

– J'arrive d'Aurignac en milieu d'après-midi. Tu m'appelles et on sort se faire un petit Toulouse *by night*.

Émilie hocha la tête, pourtant consciente que Charlotte ne pouvait pas la voir.

– En attendant, je pense aller me balader à l'université. Comme ça je me familiarise avec les lieux et j'évite le stress de me perdre le jour de la rentrée. On se rejoindra là-bas.

Après validation, son amie raccrocha. Émilie prit une grande inspiration. Les yeux fermés, ses mains tenant fermement la faïence de l'évier, la future étudiante enferma au fond de sa poitrine tous les sentiments négatifs qu'elle pouvait ressentir. À force de les ignorer pour les remplacer par du positif, ils finiraient par disparaître. C'était bien ça, la recette du bonheur ?

Son reflet reprenait des airs d'innocence juvénile. Elle haussa les épaules.

– T'en penses quoi ? Sur un malentendu, pourquoi pas.

* * *

Émilie s'engouffra dans l'immense campus, semblable à une deuxième ville dans la ville. Tous les bâtiments portaient le nom d'illustres intellectuels. Olympe de Gouges, Philippe

Malrieu, Nietzsche et son Gai Savoir. Des renommées que les étudiants n'atteindraient jamais mais qui devaient nourrir leurs ambitions. Les bâtiments semblaient construits à l'échelle de ces géants. Des avenues à la place des couloirs, des halls de gare vertigineux en guise d'entrée.

Rien n'était semblable à ce que sa mère lui avait raconté. Avant de s'appeler Jean Jaurès, la fac du Mirail portait le nom de son quartier. La banlieue de Toulouse, celle des Arabes et des chômeurs, soi-disant. Émilie avait vu des photos de ces blocs bas de plafonds, tout en porte vitrée et en briques rouges. Une université construite à l'origine pour le Maroc, pensée pour créer des courants d'air. Insupportablement froide en hiver, délabrée par le temps, marquée par les manifestations étudiantes.

Une part d'Émilie regrettait de ne pas arpenter les mêmes couloirs que sa mère plus jeune tandis que, l'autre part, elle, se laissait séduire par le nouveau campus d'un blanc immaculé. Elle se familiarisa avec ses futures salles de classe, les bibliothèques, s'imaginant déjà les utiliser au quotidien jusqu'à en connaître les moindres recoins.

Émilie termina son chemin vers le bâtiment de langues. Perplexe, elle considéra un instant le parking attenant. Qu'est-ce qu'un terrain de basket faisait au milieu des voitures ? Et pourquoi des étudiants se baignaient dans la fontaine ? Elle discernait deux garçons et une fille en sous-vêtements. Une tige filiforme, un rouquin massif, une brune très bronzée. Plus à l'écart, une asiatique riait, une cigarette entre les lèvres alors qu'ils essayaient tous de l'arroser.

Le peu de passants avaient droit à leurs éclaboussures ou à de grands gestes amicaux de la main, invitation à les rejoindre dans l'eau. Ils faisaient le show et, Émilie devait l'admettre, ils le faisaient bien. Elle sortit son téléphone pour partager la photo sur Instagram #facstudieuse. À cette distance, les étudiants n'étaient que des formes indiscernables, des archétypes anonymes.

Leur comportement était immature, peu hygiénique mais elle leur trouva une insouciance communicative. Plus encore, elle enviait cette désinvolture. Quand l'un d'eux la pointa du doigt et l'interpella, Émilie sentit son cœur battre à plein régime. Il faisait incroyablement chaud, presque aucun témoin, elle ne les connaissait pas. Si ce n'était pas maintenant, alors quand ?

Elle dévala les escaliers sous un tonnerre d'applaudissements. Ce n'était pas dans son caractère de se déshabiller devant des inconnus, encore moins de claquer des bises au milieu d'une fontaine. Ce n'était pas elle, la tête brûlée de la classe. Émilie était d'un naturel calme, réservé, patient.

L'eau fraîche lui excita les neurones comme de la cocaïne et, maintenant qu'elle y était, ses pulsations cardiaques doublèrent d'intensité. Elle-même n'y croyait pas vraiment, elle pouvait tout à fait cligner des yeux et reprendre ses esprits en haut de l'escalier. Pourtant, elle se retrouvait là, en sous-vêtements face à ces gens.

Les trois inconnus s'appelaient Estelle, Baptiste et Benjamin.

– Émilie.

– Et bien enchantée, fit Baptiste, le rouquin. C'est un plaisir d'accueillir avec nous quelqu'un qui sait s'amuser dans ce monde lugubre. Pas comme d'autres !

Sa dernière phrase s'adressait à l'asiatique en retrait. Elle écrasa sa cigarette et secoua la tête. Son t-shirt à l'effigie des Rolling Stones et ses vans lui donnaient un air semblable à ce qu'Émilie avait pu voir au lycée. Cette fille devait avoir son âge mais elle dégageait une assurance qui n'appartenait pas à la jeunesse.

– Allez moque-toi, dit-elle. C'était mon idée mais c'est pas grave.

– Justement, geignit-il.

– Elle a pas de sous-vêtements, expliqua Estelle.

Émilie hocha la tête. C'était une raison tout à fait valable pour ne pas les rejoindre. En tout cas, de son point de vue. Les garçons allèrent la chercher.

Voir une femme fuir deux hommes en caleçon était un spectacle déroutant, même si elle n'essayait pas vraiment de leur échapper. Baptiste la souleva sur une de ses épaules et la jeta tout habillée dans l'eau. Émilie se recroquevilla pour limiter les éclaboussures. La vague aspergea ses vêtements posés sur le bord de la fontaine. Pas assez pour abîmer son téléphone, heureusement.

Émilie l'aida à se relever. L'asiatique défit le chignon qui retenait ses longs cheveux noirs et s'ébroua de la même façon que certains chiens.

– Merci, fit-elle. Si tu m'aides à couler cet abruti, je t'offre un café.

Baptiste était un ours d'au moins deux mètres, massif et

poilu. À deux, elles pesaient à peine son poids. Sans la participation de Benjamin et d'Estelle, elles n'auraient jamais pu plonger sa tête dans la fontaine. Mais cette alliance de circonstance se transforma vite en guerre civile, chacun pour soi, gloire aux coups bas. Émilie se laissa prendre au jeu, comme dans un rêve où l'instinct entraîne dans les plus étranges situations.

Dès qu'elle en eut l'occasion, Hiro sortit de la piscine impro-visée. Elle dégoulina quelques mètres plus loin. Dos à eux, sans se préoccuper d'éventuels témoins, elle enleva son t-shirt trempé et l'essora au-dessus des vêtements de Baptiste. Sur son dos mince, un phénix battait des ailes à chaque mouve-ment de ses omoplates. Ses muscles roulaient avec ceux de l'animal mythologique et, l'espace d'un instant, il parut prendre vie. Émilie n'avait jamais vu un tatouage aussi hypnotique.

Benjamin profita de sa déconcentration pour la plaquer dans l'eau. Les bulles de son propre cri caressaient la peau de ses joues. À son retour à la surface, suffocante, Hiro s'était rhabillée, allumait une cigarette et Baptiste sortait ramasser ses vêtements mouillés. Émilie suivit leur exemple. Le soleil ne tapait pas assez fort pour compenser la fraîcheur de l'eau et elle commençait à grelotter.

Habillés, les étudiants semblaient reprendre toute une iden-tité. Benjamin se voûtait, les mains dans les poches alors que Baptiste se redressa droit comme un statue dès qu'il enfila ses bretelles.

– Bon les gars, lança Estelle. Il est peut-être temps de filer.

– Tu veux venir ? proposa Baptiste en direction d'Émilie. On va à Pech David pour un barbecue.

– J'attends une amie, elle répondit.

– Allez-y, continua Hiro. Je sèche et j'arrive.

Le groupe ne tarda pas, laissant Émilie seule avec sa nouvelle connaissance. Hiro dégoulinait encore à grosses gouttes. Son corps tremblait par spasmes réguliers, ses dents claquaient. Elle devait mourir de froid.

– Tu devrais pas rentrer te changer ? proposa Émilie.

– J'ai prêté les clés à une amie. C'est pas grave, je vais bouger un peu, m'allonger au soleil. Ça va le faire.

– J'étais en train de faire le tour de l'université pour découvrir. Si tu veux, on peut continuer ensemble.

Hiro hocha la tête. Elle arrangea ses cheveux mouillés en un chignon négligé.

Émilie se laissa entraîner par la vivacité avec laquelle cette fille parcourait le campus. Refaire le même chemin à deux lui sembla plus chaleureux. Son guide lui montra tous les coins intéressants de l'université et partagea toutes les techniques pour gagner du temps au quotidien.

– Tu es en quelle année pour connaître aussi bien ? demanda Émilie alors qu'elles visitaient les meilleurs snacks.

– Je suis arrivée il y a un an et demi, un peu avant qu'ils ne commencent le gros des travaux.

– Et tu étudies quoi ?

– Je suis en… LEA. LEA anglais-japonais.

Émilie ne cacha pas son admiration. Elle ne comprenait pas trop ce qu'on étudiait dans cette licence mais elle avait beaucoup de respect pour les polyglottes, dans la mesure où elle baragouinait à peine un anglais scolaire. Mais plus intéressant, Hiro pouvait lui parler de l'ancien Mirail. Un an et demi auparavant, les travaux n'en étaient qu'au stade du projet lointain.

– C'était comment ?

– C'était... très cool. Il y avait plus de coins sympas, des petits jardins cachés. Ce n'était pas entretenu mais, justement, ça donnait un certain charme. Il y avait de la lavande, un dallage fendu par les racines, plus de portes. Je pense que ce qu'il me manque le plus, c'est qu'avant on pouvait monter sur les toits. Il n'y avait qu'un étage mais j'aimais bien. Tiens, exactement ici, il y avait un arbre. Le premier jour où je suis arrivée, je me suis allongée en dessous pour une sieste, juste avant que des potes se pointent et on a mangé là, comme un dimanche dans un parc. Je me demande où on va aller, maintenant, avec ces travaux...

Devant sa nostalgie se dressaient les barrières d'un chantier temporaire, une pelleteuse et de la terre poussiéreuse. Hiro, les mains dans les poches, se laissait emporter par la mélancolie.

– Il n'y a pas un autre parc dans le coin ? demanda Émilie.

Hiro pencha la tête sur le côté, les sourcils froncés.

– Ah bah... si, en fait. Juste derrière ce bâtiment.

Les deux filles s'installèrent sous un arbre, dans un petit morceau de verdure ombragé qui faisait office de parc. Hiro se tournait dans tous les sens pour jauger ce nouveau coin.

– Il fera l'affaire, conclut-elle.

– Je dois t'avouer que je n'aime pas beaucoup. Toute la ville, en fait.

– Pourquoi ? Spécifiquement Toulouse ?

– Je ne suis pas très ville, de base. Je viens de la campagne, là où tout est vert et dépeuplé.

– Où ça ?

– Aurignac.

Hiro plissa les yeux, comme tout le monde.

– Tu prends l'autoroute au sud et tu roules une bonne heure. C'est avant la sortie Saint-Gaudens. Y a dans les... milles habitants, environ.

Un rire moqueur traversa ses lèvres. Émilie tira la langue, un peu vexée de la réaction.

– Je viens de Paris, se justifia-t-elle. Je n'ai connu que les métropoles et, pour moi, Toulouse est déjà une petite ville. Vous avez Internet ?

– On a eu l'eau chaude la semaine dernière alors tu sais, Internet...

Hiro prit la conversation avec humour, même sa question ne devait pas être sérieuse. Allongée dans l'herbe, elle lançait des regards taquins vers Émilie.

– Quoi ? finit-elle par demander.

– Rien. Je suis curieuse. Tu as un appartement à Toulouse, j'imagine ?

– Oui.

– Si tu aimes la psycho, tu vas aimer étudier ici. La ville est un concentré d'humanité. Sur un petit kilomètre carré, tu rencontres toutes les strates sociales, toutes les histoires, toutes les couleurs politiques.

– Peut-être. Je suis pas au clair avec moi-même de toute

façon. Par exemple, je regrette un peu de n'avoir pas trouvé une place en résidence universitaire. Pour vivre l'expérience étudiante jusqu'au bout.

Hiro haussa les épaules et lui raconta de terribles histoires de résidences qui tournent mal, argumentant qu'il n'y avait pas pire voisin qu'un étudiant. Du simple tapage nocturne à l'incendie et aux inondations, en passant par l'insalubrité notoire de certaines, son guide lui déconseilla d'y prendre une chambre, même si certaines anecdotes de soirée mousse pouvaient faire envie.

– Les grosses soirées, c'est sympa, mais, à la longue, ça ne vaut pas un bon kebab avec les potos.

– J'ai jamais mangé de kebab.

– Quoi ! s'exclama Hiro. Il n'y en a pas dans la campagne ?

– C'est pas tant une question de campagne que de pizza. Pourquoi manger un kebab quand tu peux dévorer une chèvre-miel ?

– Je peux pas te laisser dire ça.

– Et pourtant c'est évident !

– T'as même pas goûté !

– J'en ai pas l'intention. Qu'est-ce que tu vas faire ?

– Je vais t'en faire bouffer de force.

Émilie souffla du nez, le rire au bord des lèvres. Hiro grommela encore un peu puis se calma, d'un coup, signe qu'elle feignait l'indignation depuis le début.

– Ce que je n'aime pas dans la ville, dit Émilie, c'est la robotisation de ses habitants. Tu dis que l'humanité est concentrée sur un mètre carré mais puisque personne ne se parle, personne ne se regarde, les rues grouillent de vide. Et chacun doit prendre le moins de place possibie, se faire tout petit dans le bus, baisser la musique dans son petit studio, exister le moins fort qu'il peut pour ne pas déranger ces inconnus. J'ai du mal à imaginer comment les citadins font pour se sentir vivants.

– Tu résonnes dans le mauvais sens. C'est parce que la ville comporte des attraits intrinsèques qu'on se compacte pour y vivre. Grâce à la densité humaine, il peut y avoir des spectacles, des musées, des bibliothèques ou des évènements sportifs. Tiens, une preuve évidente, c'est que l'architecture d'une ville porte l'histoire de ces habitants, c'est qu'ils y ont été vivants, non ?

– Tu m'as perdue à « intrinsèque ».

– Par exemple le campus du Mirail, rebondit Hiro. Malgré les demandes, le doyen n'a pas gardé un mur de l'ancienne construction. Pourquoi ? Aujourd'hui l'université ne fait pas partie de l'Histoire mais, un jour, elle sera vieille et le seul témoin de son époque. Jean jau' accueille des milliers d'étudiants étrangers tous les ans, sa reconstruction, c'est comme la galerie des Glaces de Versailles ; un message politique international. Une volonté de briller aux yeux du monde. Sauf que des êtres vivants occupent le lieu et, d'ici un an ou deux, les murs seront couverts de tag ou d'affiches, les tables seront gravées au compas. Le campus portera alors sur lui cette opposition violente entre son doyen et l'âme de ses occupants qui revendiquent une dissidence chaotique.

Émilie n'essaya pas de regarder le campus d'un œil neuf.

Toute son attention se dirigeait vers cette fille, appuyée sur ses coudes, une cigarette entre les lèvres, perdue dans la contemplation. Elle s'était enflammée durant son discours et se trouvait à nouveau aussi tranquille qu'un ruisseau, comme si deux personnes évoluaient dans un même corps.

Émilie prit son téléphone lorsqu'il se mit à vibrer. Charlotte arrivait au métro. Elle pianota une réponse rapide avant de se tourner vers Hiro.

– Je dois y aller.

– Déjà ?

Émilie savait qu'elles ne se reverraient sûrement plus. Le quotidien allait les entraîner et il pourrait se passer des semaines avant qu'elles ne se croisent et plus avant qu'elles aient le temps de se parler. Il fallait qu'elle trouve une solution.

– T'es libre ce soir ? demanda-t-elle.

– Je travaille, répondit Hiro.

Charlotte apparut au bout du parc et annonça sa présence à grands mouvements de bras. Elle ressemblait à un naufragé devant un bateau de sauvetage. Émilie serra plus fort son téléphone.

– Je vais la rejoindre, ma pote aime pas dire bonjour aux inconnus. Je peux te rajouter sur Instagram et on se prévoit un truc, si tu veux.

– J'ai pas de réseaux sociaux. Et présentement pas de téléphone du tout. Mais on va se revoir, t'inquiète pas.

Émilie marqua un arrêt. Même ses grands-parents avaient Facebook. Hiro s'avança pour lui faire la bise, exhalant une odeur de cigarette et, derrière, une autre beaucoup plus douce qu'Émilie n'identifiait pas.

Charlotte attendait en bas du parc, les bras croisés, aussi mal à l'aise qu'on pouvait l'être. L'assurance verbale dont faisait parfois preuve sa meilleure amie se heurtait souvent à sa timidité réelle. Quand Émilie arriva à sa hauteur, elle se détendit un peu.

– On y va, lança-t-elle immédiatement. J'ai vu ton insta avant de partir. Se baigner dans une fontaine alors qu'il y a des piscines publiques partout… c'est vraiment une fac de dégénérés, je reste pas une seconde de plus ici.

Émilie passa de la joie à la honte en un instant. Discrètement, elle glissa sa main dans ses cheveux ; ils étaient secs. Charlotte emboîta le pas vers le métro, suivie par son amie.

– Tu veux faire quoi ? demanda Charlotte

– Manger un kebab.

– *Dude*, il est 16 h et tu es végétarienne.

– Tu me demandes de quoi j'ai envie, je te réponds. Un ciné ça peut être pas mal aussi.

– Adjugé, vendu. Tout ce que ma puce veut est un ordre.

Charlotte réussit enfin à lui tirer un sourire. Elle s'en félicita longuement et consacra la suite de la journée à distraire Émilie avec un succès relatif.

Peu importe ce qu'elles faisaient ou le bon temps qu'elles partageaient, un petit coin de sa tête restait bloqué sur Hiro. Cette fille avait titillé sa curiosité et n'avoir aucun moyen de la contacter lui laissait un goût amer.

Émilie y repensa même le soir, en rentrant avec son sac de

courses. Elle se repassait la journée, décortiquait chaque moment, une question obsédante en fond. Comment l'avaient-ils jugée ? Quelle idée stupide de se jeter à l'eau devant des inconnus, à peine arrivée elle passait pour la folle de service. L'idiot de la classe fréquente beaucoup de gens mais personne ne le respecte vraiment. Quoique, après tout, ils s'y baignaient dans cette fontaine, eux aussi.

Émilie coupa un poivron rouge en lamelles et les jeta dans la poêle à feu doux. Elle moulinait dans le vide, tout ça à cause de la remarque de Charlotte. En réalité, une seule personne était en droit de lui donner son avis ; sa mère. Émilie composa son numéro de mémoire, elle en profiterait pour lui demander comment épicer son chili sin carne.

La sonnerie plana un moment avant de laisser la place à une voix robotique.

« Le numéro que vous avez demandé n'est plus attribué »

Puis le silence. De temps en temps, elle oubliait. Quand le présent captait toute son attention. Chaque fois, le retour à la réalité devenait plus brutal et c'était comme la perdre encore une fois. Émilie fit un pas en arrière, dégoûtée par l'odeur de la nourriture et partit sous la douche.

L'eau chaude coulait sur son corps nu sans rien nettoyer. L'essentiel n'incrustait pas sa peau mais en dessous. La saleté se logeait dans un endroit qu'elle n'arrivait pas à récurer, bien au fond de son crâne. Une simple vérité qui balayait tous les rires de la journée et qui la laissait seule. Une pensée qui la rendait malade, surtout quand elle se remplissait d'images.

Émilie pouvait fermer les yeux aussi forts que possible, rien n'empêchait les souvenirs de fuser. La marionnette cassée au pied de l'escalier. Sa peau froide et cireuse. Le cercueil blanc, scellé dans le marbre. Et elle, qui se retrouvait alors privée de mère.

2

Émilie arriva un quart d'heure avant son rendez-vous, à peine le temps de se préparer psychologiquement à boire un café avec son père. Depuis l'enterrement, ils s'étaient parlé plusieurs fois par téléphone et elle ne voyait pas l'intérêt de changer ces bonnes habitudes. Émilie s'installa sous le kiosque, face au métro. Sa main massait sa nuque pour diminuer son stress. Si elle commençait déjà à se prendre la tête, la discussion ne pourrait que s'envenimer.

Pile à l'heure, Pascal apparut avec un costume hors de prix, les cheveux fraîchement coupés. De loin, il ressemblait à un de ces mannequins seniors dans les magazines. Le genre de physique à inspirer le respect et la confiance au premier regard, pratique pour un expert-comptable. Il s'approcha de sa fille et déposa un baiser sur son front et, d'une main dans le dos, il la dirigea vers un Starbuck.

Émilie n'aimait pas l'idée de s'enfermer dans un lieu public avec son père. Comment s'enfuir ? Au téléphone, elle pouvait prétexter n'importe quoi pour y mettre fin mais, face à face, ce n'était plus aussi simple. En prenant la commande, ils échangèrent des banalités. Tu vas bien ? Et toi ? Dis donc, il faisait froid ce matin et là j'enlève mon pull, y a plus de saisons. C'est le réchauffement climatique, ou peut-être que septembre a toujours eu une météo capricieuse. Qui s'en souvient ?

– L'emménagement s'est bien passé ?

Le début des hostilités de la part de Pascal. Émilie entendit au ton de sa voix que la discussion changeait de teneur. Elle haussa les épaules, éludant la question en quelques phrases. Il restait des cartons mais son appartement lui plaisait.

– On aurait gagné du temps avec de l'aide, conclut-elle.

– Je t'ai proposé une société de déménagement, tu n'as pas voulu.

Typique de son père. Alors qu'elle demandait son aide à lui, il déléguait la tâche. Pour la peine, Émilie commanda un muffin avec son thé glacé.

– Tu es sûre ?

– Je le paye si ça te dérange.

– Je pensais plus à…

Pascal s'arrêta au milieu de sa phrase, l'index pointé vers son ventre. Encore une remarque de ce genre. Il ne pensait probablement pas à mal, d'ailleurs. Pascal portait son élitisme avec la plus grande bienveillance. Une bienveillance sèche, froide et incisive.

– J'ai un poids tout à fait correct, papa.

– Pour l'instant.

Émilie sourit pour retenir une réponse acide. Lutter contre son père ne menait jamais à rien. Il avait raison, point final. L'employé servit quand même le muffin et l'étudiante croqua dedans avec appétit. La pâte et le fourrage se mélangeaient dans sa bouche dans un torrent de sucre et de gras. Délicieux. Pascal claqua sa langue contre son palais, un soupir de déception passant entre ses lèvres. Émilie sentit un frisson désagréable traverser sa poitrine. Il changea de sujet :

– Comment va Bastien ?

– Je l'ai quitté début août.

– Bien. Tu pourras te concentrer sur tes études. Ne sois pas trop pressée de rencontrer quelqu'un, tu le payerais. Puis tu as tout le temps du monde devant toi pour ces bagatelles.

– T'as pas rencontré maman pendant les tiennes ?

– Si. Résultat Thomas est né et j'ai dû abandonner l'ambition d'acheter un cabinet en début de carrière. Qui sait combien d'années j'ai perdues avec cette histoire.

Émilie s'humecta les lèvres. Insulter son père n'était pas une bonne idée. Elle regarda sa montre. Sept minutes et son sang pulsait contre ses oreilles. Pire, son père tournait autour du pot. Il ne la voyait pas pour le plaisir d'échanger des banalités, il devait y avoir autre chose mais il n'osait pas se lancer franchement.

– Et sinon, comment va Mathilde ? essaya Émilie.

– Insomnies, fatigue. Elle ronfle de plus en plus mais, ça va, elle va dormir dans ton lit pour me laisser tranquille. Plus besoin de la virer au milieu de la nuit.

Il rit. Émilie trouvait étrange l'emploi du possessif alors

qu'elle n'avait pas mis les pieds dans cette chambre depuis plus d'un an. Pascal s'essuya la bouche et se fit craquer les cervicales. Il cherchait un nouveau sujet de conversation pour ne pas laisser le silence s'installer. Il détestait le silence.

– Tu as réussi à t'inscrire à l'équipe universitaire de handball ?

– J'ai arrêté l'an dernier, on en avait parlé.

À chaque fois qu'il faisait semblant de se souvenir de quelque chose, Pascal hochait plusieurs fois la tête. Émilie lui sourit, habituée à sa mémoire incertaine. Derrière ce masque de politesse se cachait toutefois l'adolescente qui enchaînait les compétitions pour ne plus passer le week-end à regarder son père travailler. Père qui n'avait jamais le temps mais qui partait à chaque congé faire le tour de l'Europe, en amoureux. Un sourire qui cachait une amertume encore vive.

Pour une fois, elle esquiva le silence à sa place.

– Tu cours toujours ? demanda sa fille.

– J'essaye. Tu sais ce que c'est, trouver le temps. L'âge ne pardonne aucun excès, je le sens un peu plus chaque jour. Ceci dit, j'ai eu une idée le mois dernier, j'attendais le rendez-vous avec mon programmeur pour en parler. Une application mobile de sport qui proposerait des compétitions entre membres mais dont le score serait proportionnel à l'âge. Courir dix kilomètres en une demi-heure est plus impressionnant à 60 ans qu'à 20. J'ai un bon feeling sur celle-là, j'imagine la communication : enfin une appli intergénérationnelle où parents et enfants pourront s'affronter équitablement.

Une nouvelle idée lumineuse. Son père en trouvait dix par

an. Des projets fous, chronophages, chers en investissements. Et terriblement rentable. En plus d'être expert-comptable, Pascal était un entrepreneur né.

Depuis trois ans, son énergie se concentrait exclusivement sur ces projets d'application. Depuis ce jour étrange où il s'était assis devant elle pour le petit déjeuner et où il lui avait expliqué que le temps passé avec ses enfants l'avait empêché de réussir sa vie. Dès lors, son unique obsession avait été d'engranger de l'argent et il n'hésitait pas à s'y adonner tous les jours de l'année, jusque tard dans la nuit. Même à Noël. D'une certaine manière, Émilie respectait sa hargne. D'une certaine manière.

Pascal posa ses mains à plat sur la table avec un air soudain très sérieux. Émilie se raidit. Enfin, le vif du sujet.

– Sujet qui fâche. J'ai observé tes dépenses des dernières semaines, pour avoir une idée de tes besoins.

Son sang ne fit qu'un tour. Émilie sentit son visage changer de couleur.

– Tu as accès à mes comptes ! De quel droit tu te permets ?

– Ne me réponds pas quand je te parle. Tant que tu vivras de mon argent, j'aurais un droit de regard sur ce que tu en fais.

La voix du paternel gronda. Émilie rentra les épaules et baissa la tête. Pascal continua, d'un ton ferme, à peine plus calme.

– Donc, je disais. J'ai calculé un budget en conséquence. Tu auras un virement mensuel de 500 euros en plus des APL, de quoi couvrir le loyer et tout le reste. C'est une petite somme mais elle te préservera des distractions. Priorité aux études. Si je vois que tu le dépenses correctement, je l'augmenterais. Et si tu te réorientes dans une vraie filière, et bien… il se pourrait que je la double.

Émilie prit une grande inspiration. Par où commencer ? Chaque mot sorti de la bouche de son paternel sonnait comme un chantage à l'argent. Elle calcula tout ce qu'elle lui devrait d'ici la fin de ses études. 30 000 euros. Autant de trop car elle ne voulait pas un centime de sa part. Pourtant elle ne répondit rien, en souvenir d'une discussion avec son frère.

Son père lui devait cette somme. Parce qu'à cause de son salaire indécent elle ne pouvait pas toucher les bourses, parce que la loi l'y forçait et, surtout, parce qu'il héritait d'une part de ce que sa mère avait gagné à la sueur de son front, seule. Séparés presque à sa naissance, jamais divorcés, Pascal n'avait pas versé la moindre pension. Il lui devait cet argent. Mais alors pourquoi l'idée de vivre à ses crochets paraissait si malhonnête ?

– C'est tout ce dont je voulais te parler.

Pascal se leva, réajusta la veste de son costume.

– Je t'appellerai tous les dimanches à dix heures. Tu y penseras ?

– Ce sera difficile d'oublier.

Le rendez-vous s'arrêta là. Émilie s'attendait presque à ce qu'ils se serrent la main, comme un banquier et son client. Au lieu de ça, Pascal se pencha, déposa un baiser sur son front.

Il partit en laissant derrière lui une colère sourde. Un nœud à l'estomac, Émilie se réfugia dans la conversation Whatsapp qu'elle partageait avec ses deux meilleurs amis : Charlotte et

Julien. Elle tapait sur l'écran de son téléphone avec frénésie, hargne, répandant le flot de pensées qu'elle n'avait pas réussi à verbaliser. Ce type imbu, persuadé que tout s'achetait. Géniteur au rabais, voleur. Elle martela et martela le clavier tactile jusqu'à ce que la dernière goutte de haine sorte de son corps en feu. Julien, connecté aussi, se montrait un spectateur généreux en réaction. Il dégainait des GIF à la chaîne et, au milieu de la fureur de son amie, germa une idée lumineuse :

– Vas-y, tu retires du liquide et on se bourre la gueule. Ça lui fera les pieds.

– Grave. Genre la grosse murge de l'enfer.

L'anxiété n'arriva que plus tard, quand Émilie réalisa véritablement ce qu'elle s'apprêtait à faire. Au lycée, sans être tout à fait impopulaire, elle n'était pas la fille qu'on invitait aux soirées ou aux anniversaires. Avec ses deux meilleurs amis, ils formaient un trio compact et préféraient rester entre eux, dans un petit univers qu'ils s'étaient créé. Un univers à base de séries télé, de mangas et de jeux vidéos. Une orgie de fictions où les évènements, positifs ou négatifs, prenaient leur place dans un grand Tout cohérent. Aujourd'hui, elle trouvait ces divertissements puérils et vains. La vie, la vraie, n'avait rien de logique. Les choses arrivaient aléatoirement, et il fallait faire avec. Point.

Alors qu'au contraire, sortir dans un bar, se confronter avec la réalité de ses semblables… Son cœur s'emballait en y pensant. Contrairement à l'épisode de la fontaine, aucun coup de sang ne pouvait la protéger de l'anticipation.

De retour chez elle, la jeune étudiante attacha ses cheveux

avec une pince et ouvrit sa trousse de maquillage. Elle prit une grande inspiration. Elle devait paraître assez âgée pour qu'on ne lui demande pas sa carte d'identité sans pour autant tomber dans le ridicule. Bien sûr, elle trouva vite le parfait tuto sur YouTube. Merci Internet.

Dans le métro, Émilie se força à froncer les sourcils. Dans son petit village natal, elle se sentait toujours en sécurité. À Toulouse, elle devenait une anonyme dans la foule, une femme à mater sans remords ni gêne. Et autant dire que certains ne s'en privaient pas. Quand les portes s'ouvrirent à l'arrêt Saint-Michel, elle se dépêcha de sortir.

Julien l'attendait sur le quai, noyé sous un habituel pull trop grand. Après une longue étreinte, il la détailla de haut en bas et fendit son visage d'un sourire encore plus grand.

– T'es belle, ma princesse.

Émilie sentit le rouge lui monter aux joues. Elle murmura une insulte. Julien était son meilleur ami depuis des années et accessoirement le petit copain de Charlotte. Il y avait entre eux un amour profond, aussi platonique qu'entre un frère et une sœur.

– Charlotte arrive ? demanda Julien.

– Elle vient la prochaine fois, t'as pas regardé la discussion ?

– J'ai arrêté quand vous avez commencé à parler de *smoky eye*. Mais tant pis pour elle, restons rien que tous les deux pour ma dernière soirée de l'année. Dès demain j'ouvre les bouquins de médecine et tu me verras que de temps en temps sortir de ma caverne, les yeux brûlés par la vivacité soudaine du soleil et une barbe d'ermite dans laquelle je me prendrai les pieds.

– La dernière fois que tu as essayé de te laisser pousser la barbe, ricana Émilie, on a mis un mois à remarquer tes trois poils au menton.

– Un jour j'y arriverai. Et j'aurai une grosse bebar super épaisse, dans laquelle je glisserai des fleurs.

Émilie éclata de rire. Voir Julien diminuait de moitié sa mauvaise humeur. L'espace d'un instant, elle faillit lui proposer de faire demi-tour. Ils pouvaient se commander des pizzas, regarder des bêtises sur YouTube et oublier le reste du monde. Mais ce serait admettre qu'elle était encore une enfant, ça ferait trop plaisir à son père.

Julien lui raconta sa dernière épopée : attendre un employé Free pour lui installer la box. À travers sa bouche, la moindre anecdote se dilatait dans des proportions telles qu'il tenait souvent un scénario digne du prochain Marvel. S'il devait un jour écrire le roman de sa vie, il ferait de l'ombre aux plus sulfureux personnages de l'Histoire. Rien ne serait vrai mais probablement fascinant à lire. Son histoire toucha à sa fin au moment où ils arrivèrent devant le bar.

Le Dubliners. Un petit pub irlandais qui passait de la musique rock. L'intérieur du bar était lumineux et chaud, cosy. Les quelques tables, d'un bois sombre, étaient toutes prises par des groupes, dont certains assez âgés. Émilie se tourna vers Julien. Il haussa les épaules.

– La bière après le boulot, je suppose. Y a plus de place, on va ailleurs ou on attend un peu ?

Tellement d'assurance chez son ami. Ses vacances en Espagne l'avaient transformé.

Émilie balaya une seconde fois la pièce du regard à la recherche d'une place libre. Les occupants d'une table semblaient ranger leurs affaires. Son attention s'arrêta sur la barmaid qui débarrassait les commandes. Un peu plus grande que la moyenne, des bras fins, un chignon noir négligé.

3

Hiro emporta son plateau derrière le comptoir. Son visage était calme, souriant tandis que le reste de son corps s'activait frénétiquement. Le bar, bondé, demandait une attention constante. Les clients se massaient devant la surface en bois, prêt à se jeter sur le premier barman disponible.

Émilie tira son ami par le bras. Entre la musique et les conversations, elle n'arrivait pas à attirer l'attention de la japonaise. Julien se dressa sur la pointe des pieds et hurla presque :

– Deux rousses, s'il vous plaît !

Hiro le regarda à peine, hocha la tête et prépara la commande. Julien se contorsionna pour payer pendant qu'Émilie sortait du lot à coups d'épaules. Elle tendit la main vers sa commande et, l'espace d'un bref instant, croisa son regard. Hiro lui fit un clin d'œil, si discret qu'elle faillit ne pas le remarquer.

Émilie se trouva un coin où elle voyait le comptoir. Hiro enchaînait les préparations sans baisse de régime, avec une énergie incroyable. Chaque client avait droit à son sourire, voire à une petite blague. C'était étrange de la recroiser à peine quelques jours après leur première rencontre. Rassurant. Comme si Hiro avait lu dans l'avenir quand elle lui avait promis qu'elles se reverraient.

Julien claqua des doigts devant ses yeux.

– Tu regardes quoi ?

– Rien. Tu crois que les barmans doivent apprendre toutes les recettes par cœur ?

– Tout le monde les connaît, c'est pas compliqué.

Vingt minutes plus tard, alors qu'Émilie se demandait encore comment l'aborder, la porte s'ouvrit sur une armoire à glace à la tignasse rousse. Baptiste réajusta sa cravate et, claquant des doigts au-dessus de la foule, attira l'attention de la barmaid. Sans qu'aucun mot ne soit échangé, ils se comprirent. Le colosse chercha une place des yeux et, voyant Émilie, se mit à rire.

– Hey, mais qui voilà donc.

Il demanda du regard le droit de s'asseoir à leur table. Derrière lui se trouvait une brune au visage couvert de grains de beauté.

– Émilie, je te présente Sarah, ma coloc'. Sarah, je te présente la fille qui a pris un bain avec nous. Enfin, c'est une histoire un peu plus compliquée que ça…

Julien ouvrit grand la bouche de surprise. Émilie ne savait plus où se mettre. Après la réaction négative de Charlotte, entendre Baptiste raconter en détail cet après-midi dans une fontaine lui rappelait sa honte. Elle changea de sujet à la première occasion.

– Et donc, vous êtes en quelle filière vous ?

– Qui ça intéresse ? l'arrêta Julien. Trop cool ce que tu as fait, je suis trop fier de toi !

Émilie appuya son poing contre celui tendu de son ami. Le poids de cette histoire quitta ses épaules. Oui, c'était cool. Un moment rafraîchissant, sans prise de tête, ce que cette soirée pouvait devenir aussi.

Hiro déposa deux shots mordorés sur la table. Baptiste et Sarah entrechoquèrent les verres et le colosse lança :

– Cul sec et la prochaine est pour moi.

Le visage de Sarah passa du blanc au cramoisi. Elle toussa, une fois, deux fois et sembla reprendre difficilement sa respiration.

Curieuse, Émilie commanda la même chose. Le shoot était d'un marron plus foncé que le whisky, sans particularité. Elle n'en avait jamais bu et l'alcool irradia sa gorge comme de la lave. Son œsophage ravagé prit feu en arrière-goût. Piment. Tout ce qu'elle sentait n'était que le piment dans son estomac et les larmes lui monter aux yeux.

– Ta putain de race ! s'exclama-t-elle.

– Ça désinfecte, confirma Baptiste.

La surprise passée, son cerveau fonctionnait à plein régime. Ce n'était plus un shot mais un shoot dans la tête. Le remède parfait pour lui faire oublier ses problèmes. Émilie sortit du

liquide de sa poche pour la prochaine tournée, jubilant à l'idée
de crever l'écran de son Big Brother de père.

Baptiste prit en charge la conversation, semblable à un prof
devant sa classe en début d'année. Il posait les questions, tirait
les informations de la timidité et s'extasiait d'un rien. Oui,
Émilie et Julien étaient amis d'enfance, non ils n'étaient jamais
sortis ensemble, oui ils s'étaient déjà embrassés pour rigoler. Un
peu comme lui et Sarah, finalement. Ils étaient en colocation
depuis quelques années, le temps de faire une licence de
Lettres, mais il n'y avait rien de plus entre eux.

– Sarah commence sa troisième année et moi je me réoriente
en psycho. Du coup on se verra à la rentrée. Et toi Juju' ?

– Médecine.

Toute l'attention se focalisa sur Julien, plein d'un respect
nouveau. Il occupa un moment la conversation en parlant de ses
ambitions professionnelles.

Émilie en profita pour fixer le comptoir. Le flot de
commandes s'était calmé, Hiro riait avec une fille assise au bar,
tout en essuyant des verres. Pas un regard vers eux ni l'inverse.
À croire qu'elle et Baptiste n'étaient pas amis. Après tout, pourquoi pas ? Ils semblaient tous avoir un contact si facile avec les
inconnus, peut-être que Baptiste l'avait aussi rencontrée à la
fontaine. Si elle suivait son hypothèse, Émilie arrivait à une
conclusion désagréable ; Hiro l'avait laissé partir sans numéro
parce qu'elle se fichait de la revoir.

Elle sentit qu'on lui tripotait le poignet. Julien le secouait
vigoureusement.

– Allo la Lune, ici la Terre, beuglait-il. T'es allé en Inde y a deux ans ?

– Jamais.

– Mais siii, il y a deux ans avec ton frère.

– Au Bangladesh, gros débile. C'est marqué dessus.

Émilie exhiba un des nombreux bracelets à son poignet. Le vert et rouge, un des moins abîmés.

– C'est des souvenirs de tous mes voyages, expliqua-t-elle. Celui-là vient de Belgique, lui du Tibet, Allemagne, Suisse, encore Allemagne et Bangladesh.

– Sacré palmarès à ton âge, remarqua Sarah.

– Mon frère photographie des animaux sauvages pour un magazine et je l'accompagne souvent.

– Qu'elle sera votre prochaine destination ? Il y a une faune incroyable en Afrique.

– Rien de programmé. Depuis… certains problèmes personnels, ce n'est plus d'actualité.

– Enfin, bref ! hurla Julien. Sarah nous racontait un road trip en Inde qu'elle a fait.

Émilie hocha la tête, subtilisant discrètement la vodka des mains de son meilleur ami. D'expérience, il se mettait à crier pour se retenir de vomir. S'il y avait bien une chose que l'Espagne n'avait pas changée chez Julien, c'était son intolérance à l'alcool.

Sarah avait une voix désagréable. Forte, aiguë et nasillarde. Plus elle buvait, plus elle parlait et plus elle parlait, plus Émilie buvait.

– La populace, appela Baptiste quand elle eut fini son

histoire. Vous voulez pas qu'on parte ailleurs pour se bouger un peu l'arrière-train au rythme d'une musique contemporaine de mauvais goût, mais entraînante sous l'effet de l'alcool ?

Sarah hurla d'excitation. Entre habitués ils discutèrent d'un lieu, temps qu'Émilie utilisa pour avoir une conversation de regard avec son meilleur ami. Ils ne partaient pas d'ici. Elle ne pouvait pas lui expliquer tout de suite mais ils devaient rester dans ce bar. Julien pencha la tête sur le côté et haussa les épaules. Émilie se mordit la lèvre inférieure, les yeux vers le plafond.

– Émilie sait pas danser, avoua Julien. De manière générale, bouger son corps de manière harmonieuse, c'est pas trop dans ses compétences.

Émilie prit une grande inspiration outrée. Trouver une excuse, oui, mais sans lui taper l'affiche, si possible. Baptiste se leva d'un coup, si vite qu'il faillit perdre l'équilibre.

– Tu n'as pas besoin de savoir danser pour le faire ! Regarde, tout est dans le bassin.

Le colosse se cala au rythme de la musique, étonnamment fluide dans son corps massif. Peu avant le refrain, il se tourna vers Émilie, lui offrant le bras. Patiemment, les mains sur ses hanches, Baptiste l'invita à libérer ses articulations.

– Au début il n'y a pas de chorégraphie à connaître, juste de l'assurance à trouver. Personne ne te regarde, personne ne te juge.

Ivre, Émilie se laissa guider. Elle laissa petit à petit la musique l'habiter et prendre les commandes. Indifférente, à peine consciente de ceux qui l'entouraient. Savourant cette perte d'identité comme on se libère d'un manteau au début du printemps.

Le bar se vida définitivement à l'ouverture des boîtes de nuit. Émilie, lovée contre Julien sur un banc, ne se sentant plus la force de se lever.

– On va bientôt se rater le dernier métro, annonça son meilleur ami.

– Déjà ? fit-elle en regardant sa montre. T'façon le bar va fermer.

– Moi j'ai plus d'argent, lança Baptiste en ouvrant un œil. Je rentre à pied quand j'aurai fini ma sieste.

– Tu me raccompagnes ? demanda-t-elle au colosse. J'ai oublié à quelle station descendre et, de toute façon, je suis sûre de me perdre dans la nuit.

– *No problemo, amigo.*

– Même pas en rêve, objecta Julien. Viens dormir chez moi, c'est à côté.

– Tu dors dans un placard à balais, grogna Émilie.

– Y a pas de risques avec Batou, rassura Sarah. Personne n'ose le provoquer et, si ça doit arriver, il n'hésite pas à grogner. C'est un bon chien de garde.

Baptiste, allongé sur la table, un filet de bave dans la barbe, aboya avec la même intonation qu'un basset en fin de vie et sombra dans un sommeil profond. Émilie l'observa un instant ronfler et se dit, avec une intime conviction, que cet homme pourrait la protéger de n'importe quel danger.

Julien éclata d'un rire jaune.

– Qui a dit que j'avais peur des autres ?

– Je m'occupe d'eux.

Toutes les têtes se tournèrent vers cette nouvelle voix. Hiro les toisait, une bière dans une main, sa cigarette éteinte dans l'autre.

Julien scruta l'inconnue de la tête aux pieds. L'agacement fermait son visage en une expression presque méchante. Il s'apprêtait à répondre, probablement d'une manière plus sèche que précédemment, quand Hiro leva la main vers lui.

– Calme-toi, Lancelot. Je vais pas lui faire de mal à ta Guenièvre. Donne ton numéro à Baptiste et je t'envoie une photo d'elle toutes les demi-heures, comme ça t'es rassuré. En attendant, il faudrait que tu files si tu veux le dernier métro et comme ça moi je peux fermer la boutique.

L'esprit pragmatique de Julien ne pouvait rejeter une proposition aussi censée, même si son instinct lui dictait le contraire. Émilie le savait et s'empressa de lui dire au revoir, avant qu'il ne trouve un contre-argument.

Sarah bailla à s'en faire craquer la mâchoire. Depuis qu'Hiro avait éteint les lumières principales, elle chuchotait :

– On habite juste à côté, sinon, et on est pas à un squatteur de plus.

– Arrêtez de casser notre délire, s'énerva Baptiste. Si on veut se balader au milieu de la nuit on… on… Ah, t'as très bien compris.

Le colosse se retourna. Sarah fit une étrange grimace méprisante et quitta le Dubliners.

Plongé dans le silence et la pénombre, le bar devenait intimiste. L'adrénaline de la soirée à peine dissipée, Émilie réalisait son état de fatigue. Si elle se posait sur une banquette, il ne lui faudrait pas plus de quelques secondes pour rejoindre Baptiste au pays des rêves.

Hiro soupira longuement. Les yeux fermés, dans un rituel, elle prit le temps de s'étirer les épaules, la nuque, le bassin. Sa soirée n'avait pas dû être facile, à servir des verres à la chaîne.

– Merci de me raccompagner, dit Émilie. Tu préférerais sûrement rentrer chez toi.

– Même pas. D'ici à ce que la tension redescende, je suis pas prête de me coucher. On part quand Balou se réveille, ça te va ?

Émilie hocha la tête. Pour passer le temps, elle attrapa les fléchettes et invita Hiro à la rejoindre. Chacun de ses coups manqués lui soutirait un rire débile. L'alcool, ce fléau qui change la vie en vaste blague. À l'inverse, la barmaid tirait avec la précision de l'expérience.

– Tu travailles ici depuis quand ? demanda Émilie.

– Le début de l'été. Mon contrat se termine à la fin du mois, à voir s'ils me renouvellent.

– Ce n'est pas trop compliqué avec la fac ? J'hésite à me chercher quelque chose aussi.

Hiro s'arrêta au milieu de son geste. Elle adressa à la nouvelle étudiante un de ces regards perçants difficiles à interpréter, puis haussa les épaules.

– Le spécialiste, c'est Baptiste. Après, j'imagine que ça dépend des caractères, des contrats, de la filière mais, au final, travailler pendant ses études est une nécessité, pas un choix. C'est pas un truc qu'on *hésite* à faire.

Émilie se mordit l'intérieur de la joue, persuadée de l'avoir vexée. Au lieu de ça, Hiro se mit à sourire.

– Ça me fait plaisir de te revoir, dit-elle. Même si j'aurais préféré vous rejoindre plutôt que de rester en spectateur derrière le bar. Approche.

Hiro arrêta de jouer pour s'emparer du téléphone d'Émilie et les prendre en photo. Son bras, glissé par-dessus son épaule, s'attarda un peu plus que nécessaire. Une photo toute les demi-heures et un contact de ce genre à chaque fois ? *Deal.*

– La soirée n'est pas finie, proposa Émilie. On peut encore rendre la tienne fantastique.

– Très bonne mentalité, j'aime !

Hiro tapa du poing contre la table, siffla sa bière en quelques gorgées et s'approcha de la table où dormait Baptiste. Le colosse ne réagissait pas aux bruits et mouvements autour de lui, plongé dans un sommeil de bébé. Toutefois, même le plus gros dormeur sort du sommeil quand il est poussé hors du lit.

Baptiste s'écrasa par terre.

Le réveil brutal le laissa hagard, incapable de comprendre où il se trouvait. Hiro se pencha vers lui et parla d'une voix douce :

– Faut qu'on bouge, Balou.

– Faut surtout que tu trouves une manière plus douce de me réveiller. Un jour, tu vas réussir à me fâcher !

Baptiste s'humecta les lèvres et se redressa péniblement.

L'air frais de la nuit donna un coup de fouet au groupe. Baptiste ouvrit la marche, sûr de sa direction. Les rues, à peine éclairées du jaune terne des lampadaires, se ressemblaient toutes. Émilie n'aurait jamais pu retrouver seule la bouche de métro. Or, si elle n'avait jamais eu peur de ce que la nuit pouvait cacher de dangereux, elle craignait plus que tout de se perdre. Avec ses deux compagnons de route, elle se sentait en sécurité. Pourtant, ils ne faisaient rien pour la rassurer.

Tels deux enfants turbulents, Baptiste et Hiro ne pouvaient pas faire trois pas sans se bagarrer, se courir après ou s'arrêter sur les noms de rues pour les prononcer dans un occitan caricatural. Ils dégageaient une légèreté innocente qui tenait de la joie de vivre contagieuse. Émilie ne se fit pas prier pour les suivre dans leurs jeux.

Le peu de gens qu'ils croisaient à cette heure leur lançait un regard plein de mépris. Émilie ne ressentait pas le besoin de répondre. C'était eux les idiots. Et puis, pourquoi leur accorder du temps alors que Hiro comptait jusqu'à dix et qu'il lui fallait courir se cacher ?

Lorsqu'ils arrivèrent au Capitole, Émilie s'émerveilla de l'architecture. Elle y était venue une fois par curiosité mais, vide, la place gagnait en majesté. La mairie de Toulouse devait être le seul bâtiment qu'elle appréciait. Au sol, se trouvait une représentation des signes du zodiaque, coulée dans le bronze. Baptiste se posa immédiatement sur le poisson en chantant l'air des chevaliers du zodiaque, Hiro sauta à pieds joints sur le bélier. Émilie, elle, s'éloigna vers le Scorpion.

– C'est censé représenter quoi ? demanda Émilie.

– Pour le savoir il faut regarder depuis les fenêtres, répondit Hiro en pointant la mairie.

Baptiste s'approcha dans le dos d'Émilie et, sans prévenir, la souleva sur ses épaules. Elle cria et serra les cuisses le temps de l'ascension. Voyant que Baptiste restait stable, elle se détendit.

Les signes du zodiaque formaient une croix occitane. Comme si le sol avait été marqué au fer rouge : propriété Occitanie.

Émilie aimait ce chauvinisme du Sud. Elle était née dans cette région, elle avait grandi avec son accent, sa culture, ses particularités. Ce patrimoine, elle le partageait avec tous les autres habitants de la région et le Capitole lui rappelait que Toulouse était sa maison, en dépit de tout.

Émilie prit une photo depuis son piédestal pour l'envoyer à Julien.

– Allez, zou, on repart, fit Baptiste en posant ses mains sur ses cuisses pour la maintenir.

Il refusa de la faire descendre jusqu'à la basilique Saint-Sernin où Hiro insista pour le porter à son tour.

– La dernière fois tu t'es aplatie comme un blaireau, dit-il.

– J'ai fait cinq squats hier, je suis au taquet.

– Heho, Heho, tu voulais pas redescendre, chantonna Émilie. Quitte à vivre en hauteur, c'est mieux que de se pendre.

À vue d'œil, le colosse faisait au moins trois têtes de plus que la barmaid. David contre Goliath. Leur chute fut si brutale qu'Émilie oublia de s'inquiéter pour eux, trop occupée à rire.

Hiro, à peine libérée du poids de son ami, se redressa d'un coup, et partit en courant.

– Le dernier arrivé paye !

Baptiste s'affola mais, rendu maladroit par l'alcool, il parvenait tout juste à tenir debout au petit trot. Émilie se débrouillait pour rester entre les deux, de façon à surveiller la trajectoire de l'une et l'état de l'autre.

La barmaid arrêta sa course dans un kebab. Elle se jeta à une table au fond de la salle, suivie de près par les deux retardataires.

Les néons bleus agressaient leurs yeux fatigués. Baptiste, la tête posée contre le mur, semblait prêt à rendre l'âme. Pourtant, c'est radieux que l'arabe derrière le comptoir prit la commande. Son épaisse moustache blanche dansait à chaque mot qu'il prononçait :

– Un oignon sauce samouraï, un complet algérienne et qu'est-ce que je lui sers à la demoiselle ?

– Juste une frite, s'il vous plaît.

– Tu goûtes un kebab, objecta Hiro. Le classique salade-tomate-ognon sauce blanche au moins.

– Je suis végétarienne.

Un coup de marteau ne lui aurait pas fait plus d'effet. Hiro resta immobile un long moment, comme un vieil ordinateur en panique. Soudain, Baptiste sortit de sa propre léthargie et claqua des doigts devant le visage de son amie.

– La terre appelle la lune.

Hiro croisa les bras, soupira et dit, dans un râle :

– Je suis intolérante au lactose.

– Et ? fit Émilie.

– Et j'aime bien cuisiner donc je me demandais ce que je pourrais te faire à l'occasion. Parce que la chèvre-miel c'est mort. Enfin, j'y réfléchirai plus tard.

Émilie esquissa un petit sourire. Elle sortit son téléphone et se pencha sur la table pour les prendre tous les trois en photos. Elle en profita pour jeter un œil à l'historique et à la dizaine de photos prises à chaque étape. Julien devait dormir parce qu'il ne répondait plus. Tant mieux, il devait enfin être aussi rassuré qu'elle-même l'était.

Émilie fourra une poignée entière de frites dans sa bouche. Après toute cette excitation, son corps ne réclamait que du gras. De quoi recharger ses batteries et éponger les dernières gouttes d'alcool présentes dans son organisme.

La sobriété retrouvée, elle profitait d'autant mieux de leur périple. Car la soirée ne se termina pas là. Le chemin du retour s'allongea de détours, de pauses et de jeux, si bien qu'ils n'arrivèrent à l'impasse Victor Hugo qu'à la fin de la nuit.

– Bon on a rempli notre mission, dit Hiro en soupirant.

– J'en suis le premier surpris, répliqua Baptiste en bâillant.

– Vous voulez monter prendre un café ? proposa Émilie. Vos yeux se ferment à moitié.

– Elle c'est normal, ils ne sont jamais ouverts.

Hiro se défendit d'un crochet du droit. Il heurta le colosse de la même façon qu'un moustique à pleine vitesse heurte un mur. Elle grimaça, lui ne sentit rien.

– Faut vraiment que tu arrêtes de te comporter comme si vous aviez le même gabarit, conseilla Émilie en se frottant les yeux. Vous montez ?

La porte du studio à peine ouverte, Baptiste se laissa tomber sur le canapé. Le temps que les filles fassent le tour du propriétaire et sortent de quoi faire du café, il ronflait. Dégoûtée, Émilie réalisa qu'il occupait le seul endroit où s'asseoir. Dans son état de fatigue, elle considéra l'idée de le réveiller à coup de pelle pour prendre sa place, avant de se rappeler la loi.

– C'est marrant, quand même, cette manière de s'endormir aussi vite, n'importe où.

– Je l'envie. Je ne dors que chez moi, là où je me sens à l'aise. On est allés à un festival de trois jours cet été. J'étais au bout de ma vie alors que, lui, il pionçait à côté des enceintes ou dans la tente des autres. Petit con.

Hiro était appuyée sur le plan de travail, prête à tomber au moindre coup de vent.

– Alors, finalement, tu as passé une bonne soirée ? demanda Émilie en attendant que l'eau chauffe.

– Excellente, à refaire.

– Demain ? On pourrait visiter le reste de la ville ensemble.

Hiro lui adressait son sourire mignon, celui qu'elle gardait en permanence sur le visage quand elle n'avait plus rien à dire.

Elle enleva l'élastique de son chignon, laissant sa longue chevelure noire en liberté. Ils avaient l'air fins et soyeux. Émilie ne put résister à la tentation de les entortiller entre ses doigts. Son index passa sur le contour de sa mâchoire. Elle avait la peau douce. Hiro posa alors ses yeux sur elle. Elle avait deux pupilles noires hypnotiques, à la forme légèrement amendée par ses paupières bridées. Rien de semblable aux yeux sombres et perçants de Julien ou au noisette mielleux de Baptiste. Et sa bouche, ses lèvres fines qui s'approchaient de son propre visage et faisaient immédiatement naître l'envie de les embrasser.

Émilie tourna la tête, offrit sa joue à la place d'un baiser mais, dans son refus, se rapprocha encore jusqu'à l'étreinte. Derrière le désagréable tabac froid sur les vêtements de Hiro se cachait une odeur enivrante, presque pénétrante. Celle de sa peau.

L'éloignement de la japonaise mit fin à l'instant. Elle écarta la jeune étudiante et, sortant une cigarette de son paquet, s'éclipsa sur le balcon. Émilie resta seule avec les ronflements de Baptiste, encore chamboulée par ce qu'il venait de se passer et, bientôt, horrifiée. Hiro n'allait plus jamais lui adresser la parole après ça. Qu'est-ce qu'il lui avait pris de faire un pas en avant et de ne pas assumer ? Une collégienne. Une gosse, voilà ce qu'elle était.

Dehors, Hiro jouait avec sa cigarette, le regard perdu dans ses pensées. Elle l'alluma quand elle vit Émilie la rejoindre sur le balcon.

— Au sujet de…, commença Émilie.

– On est pas obligées d'en parler, coupa-t-elle en recrachant un nuage de fumée.

– C'est compliqué pour moi, en ce moment. Je fais des choses et je pense des choses mais, en même temps...

Hiro fronça les sourcils. Pas de perplexité mais de mépris. En face, le soleil se levait, embrasant le ciel d'une splendide teinte rose-orangé. À perte de vue le bitume gris poudroyait d'une lumière éclatante. Le vent apporta un silence serein, un calme tranquille et une odeur de rosée. Rien de semblable à ce qui bousculait l'étudiante de l'intérieur. Émilie se mit à pleurer, à chaudes larmes silencieuses qui coulaient sur ses joues.

– Ma mère est morte cet été. Parfois j'ai l'impression que je vais bien mais... tout est de ma faute. J'ai fait le mur en plein milieu de la nuit parce que j'avais envie de m'envoyer mon petit-copain. Elle m'a entendu sortir, elle a dû vouloir me suivre. J'étais tellement excitée avec le bac, la fin du lycée, le futur voyage en Espagne. Je me suis pas retournée, prête à subir une punition de l'enfer plus tard. Sauf que, quand je suis rentrée... Si je n'avais pas été une petite... salope, elle serait encore là.

D'une pichenette, Hiro envoya valdinguer sa cigarette et se tourna vers l'orpheline. Émilie se réfugia dans ses bras. Que dire de plus ? Le reste, elle le voyait se dérouler derrière ses paupières, pour la millième fois, encore et encore, dans un tsunami d'images.

Ses propres sentiments la dépassaient autant que ceux d'un autre et, pourtant, elle espérait qu'Hiro serait en mesure de les comprendre.

Épuisée par cette nuit interminable, la japonaise glissa contre le mur, l'étudiante toujours dans les bras. Là, réchauffées par la lumière du soleil, elles s'endormirent.

4

Le métro déborda de cette masse grouillante, entassée jusqu'à l'asphyxie. Les poumons se compressaient, les bras de contorsionnaient vers la barre de métal moite. Les plus petits passagers se hissaient sur la pointe des pieds pour respirer autre chose que les aisselles de leur voisin.

Émilie partageait la souffrance des petits. Elle participa aux plaintes quand une poussette apparut sur le quai. Devant l'insistance de la mère, elle découvrit aussi qu'il était possible de se compacter plus. Adieu la pudeur, les torses pouvaient se toucher, tant qu'il n'y avait pas de contact visuel entre les passagers.

La libération arriva au Mirail. Émilie se laissa entraîner par les autres étudiants. Le flot se déversa avec le fracas d'un millier de chaussures. Le rythme de leurs pas s'harmonisait, vif et pressé.

Dans sa campagne, l'étudiante n'avait jamais expérimenté un

mouvement de foule de cette envergure. Il lui fit l'effet d'un instinct primaire, le rappel de la nature grégaire de son espèce. Ou, pour le dire autrement, elle se sentait comme un mouton au milieu de son troupeau.

Au milieu des coiffures sombres, la queue de cheval rousse de Baptiste irradiait. Émilie joua des coudes pour le rejoindre. Le colosse ralentit à peine la cadence de ses pas de géant. Il plissa les yeux en scrutant cette fille qui l'abordait et, enfin, ouvrit grand son visage.

– Émilie ! Comment tu vas ?

Ils ne s'étaient pas revus depuis la soirée au Dubliners et Émilie appréciait cette présence familière.

Cette dernière semaine de vacances avait été d'un ennui mortel. Une alternance misérable entre série, jeux et déballage de cartons.

– C'est marrant, fit Baptiste. J'ai pensé à toi hier mais j'avais pas ton numéro. Il y avait une pétanque géante à la ramée, on devait être cinquante. Super ambiance.

Émilie se garda bien de lui dire qu'elle aurait refusé, à cause de l'épisode du balcon. Parfois, elle y repensait et un frisson de honte lui chatouillait le dos. Quand Baptiste était venu les réveiller, il n'avait pas paru surpris de leur position mais Hiro, par contre, avait fui précipitamment sans prendre son numéro. Plus de nouvelles depuis, rien.

L'étudiante essayait de ne plus y réfléchir et de se concentrer sur l'essentiel : sa rentrée.

Après des mois d'attente, elle allait faire son premier pas

dans les études supérieures. Les cours en amphi, les notions ultras complexes, les soirées à la bibliothèque. Émilie était impatiente de goûter à l'émulation du savoir pertinent, après des années de bourrage de crâne stérile.

La foule se segmenta à l'approche des bâtiments en longues files de fourmis pressées, noyées dans un brouillard opaque. Baptiste se dirigeait dans la même direction qu'Émilie, droit devant eux. Ils s'étonnèrent de trouver un hall bondé, rempli de gens statiques et surtout, d'entendre une voix amplifiée par un micro. Émilie ne voyait rien à cause de sa petite taille et dut compter sur son ami pour lui décrire la situation.

– C'est un prof, expliqua-t-il en pointant le centre du rassemblement.

Émilie sauta sur place pour mettre un visage sur le discours incompréhensible qu'il débitait. Un vieil homme aux cheveux blancs, un peu gras, enchaînait les citations révolutionnaires pour chauffer la foule mais ne disait rien de concret sur la raison de sa colère. Baptiste attrapa un garçon par l'épaule et lui serra la main. Émilie fronça les sourcils. Noir, longiligne. Benjamin de la fontaine ?

– Il se passe quoi ? demanda le colosse.

– L'UFR de psycho a de l'eau dans le gaz. Les groupes de TD sont de 35 places et ils sont tous blindés, sauf que les salles n'ont que 25 tables. Du coup les profs font grève.

Baptiste éclata du rire jaune qu'on réserve aux mauvaises blagues. Puis, s'adressant à Émilie :

– Ça te fait une entrée fracassante dans la vie étudiante, Ben est en master de psycho alors tout ce qu'il dit est parole d'évangile.

– Qu'est-ce qu'il faut pas entendre, t'es toujours aussi con toi, taquina Benjamin.

Émilie fronça les sourcils. Il lui sembla tout à fait impossible que le président de l'université soit incapable d'effectuer une addition simple. Cependant, l'orateur brandissait une feuille pour appuyer son discours belliqueux.

– … Ils ont rasé des salles avec une capacité de 50 étudiants pour en construire le double mais, forcément, deux fois moins volumineuses. Ce n'est pourtant pas comme si nous ignorions l'affluence des premières années dans la filière psychologique. Cette situation est de l'incompétence pure et simple !

Les étudiants levèrent les bras en signe d'adhésion. Une fille, à peine plus âgée qu'Émilie, prit ensuite sa place et récita son discours d'une voix tremblante. Sur son épaule, le sticker de l'UNEF, un syndicat amoureux des blocus.

– Ce que cette situation prouve, c'est que notre doyen est en dehors des réalités. Depuis des années il y a de plus en plus de besoins dans cet UFR, on connaît les chiffres dès les résultats du BAC mais il refuse d'embaucher de nouveaux chercheurs. Actuellement, ils sont une centaine. C'est beaucoup. Mais, nous, les étudiants, on est 5 000. Et si on veut travailler dans de bonnes conditions, y a pas d'autres solutions que de débloquer des fonds… Parce que, je sais pas pour vous, mais y a pas moyen que je laisse la fac du Mirail filtrer les lycéens à la sortie du Bac. L'accès à la culture pour tous !

Encore des bras levés et une nouvelle personne pour rajouter des arguments aux arguments. Si une rumeur dubitative parcourait l'assistance, personne n'élevait la voix pour les contredire. Émilie ne savait quoi en penser, si ce n'est qu'elle voulait, en effet, le droit de travailler dans de bonnes conditions. Benjamin, lui, soupirait à intervalles réguliers et se penchait de temps en temps vers Baptiste pour partager son opinion :

– Comme d'hab', ils parlent pas du sujet qui fâche. Dans un mois, la moitié des nouveaux auront déserté le campus et se présenteront aux partiels la bouche en cœur. Du coup, plus de problèmes de sous-effectifs.

– Oui, enfin, c'est quand même pas très respectueux. Nous n'allons pas étudier par terre.

– Ça reste plus intelligent que de pas bosser du tout. Puis qu'est-ce qu'il en a à carrer, le doyen, de la vulgaire grève d'une UFR ? Pour El Khomri, on l'a ouvert un peu trop fort, la sécurité a lâché les chiens sur les bloqueurs.

– T'es défaitiste…

– Je-m'en-foutiste. Systématiquement la même rengaine depuis que je suis là, personne ne veut faire de concession, un vrai dialogue de sourds. Et quand leurs conneries m'empêchent de préparer mon avenir, faut pas compter sur mon soutien.

– En même temps, si tu restes passif, ils vont en profiter…

Émilie suivait la discussion sans tout comprendre. Ils parlaient tous trop vite, dans un français trop technique et elle n'avait pas les connaissances pour en saisir les subtilités. Après tout, il y a trois mois, on ne lui demandait rien de plus que de recracher des formulations prédigérées sur une feuille. Maintenant elle aurait dû comprendre l'économie nationale ? Elle ne sortait pas de la filière économique.

Les garçons continuèrent un moment à remettre en question la pertinence des grèves avant de parler des méthodes de sélection dans les autres filières. Émilie décrocha complètement à ce moment-là, dévorée par une sensation qui lui aurait presque donné envie de pleurer ; la déception.

Consciente de faire un caprice de petite fille studieuse, elle poussa un profond soupir et, s'adressant à Benjamin :

– Du coup, on fait quoi ?

Benjamin, les bras croisés et les sourcils froncés, grommela avant de lui répondre.

– Les cours en amphi auront lieu, pour le reste, tu peux aller t'acheter le manuel à l'imprimerie d'à côté et tu t'aides des livres de la bibliothèque. Ici, de toute façon, y a que la débrouille qui te fera réussir. Bienvenue dans la jungle.

Émilie hocha la tête. Elle s'apprêtait à partir mais ne résista pas au besoin viscéral de partager sa situation au monde entier. Décrochant son téléphone pour faire un *snap* de l'assistance, elle découvrit dans son fil d'actualité un message de Julien. Trente secondes d'un amphi bondé, rempli d'étudiants hurlant comme des animaux et légendé d'un sobre « Les redoublants nous disent bonjour… »

L'espace d'un instant, aussi brusque que sincère, Émilie se demanda si elle n'avait pas basculé dans une autre dimension. Après l'école obligatoire, elle se retrouvait dans l'école où il fallait se battre pour étudier. Décevant, il n'y avait pas d'autres mots.

Benjamin partit très en retard à son cours, Baptiste s'échappa en grognant quand il entendit parler de blocus, Émilie à sa suite. Contre toute attente, le rouquin ne se dirigea pas vers la sortie de l'université où se trouvait l'imprimerie mais vers un des foyers.

– Tu veux un café ? Proposa-t-il.

– On ne devrait pas aller chercher un manuel avant que tout le monde ne se jette dessus ?

Le colosse réprima un rire.

– Tu devrais y aller, oui, et ensuite te jeter directement à la bibliothèque pour le bosser. Moi je vais attendre quelques jours, pour ce que ça change. On se voit en amphi.

Émilie eut le pressentiment que Baptiste ne viendrait pas souvent en cours. Elle suivit toutefois son conseil pour commencer l'année dans le bon état d'esprit.

La bibliothèque ressemblait à une caverne magique. Il fallait traverser un pont, rentrer dans une alcôve taillée dans la brique pour, enfin, accéder à l'intérieur. Haute de trois étages, elle contenait assez de livres pour une vie entière d'apprentissage. La nouvelle étudiante parcourait les rayons en s'imaginant combien de fois le CDI de son lycée pouvait y entrer. Dix, vingt fois, peut-être plus.

Toutefois, ce qui séduisit Émilie ne fut pas la taille de la bibliothèque mais l'ambiance qui y régnait.

Ici, personne ne se pressait, personne ne crachait dans un micro. Il n'y avait que ces longues rangées de livres, une moquette grise qui aspirait le bruit de ses pas et des tables qui encerclaient un immense puits de jour. Par-ci par-là se disséminaient des *fatboy* rose fuchsia. Lieu dont personne ne pouvait résister à la tentation, ils accueillaient dès ce premier jour les fesses des étudiants ensommeillés, quand ceux-ci n'étaient pas obnubilés par la série en streaming qu'ils pompaient sur le wifi de l'université.

Sur l'un d'eux se trouvait Hiro. Le contraste entre ses vêtements sombres et le vif de son siège était saisissant, au moins autant que les mains couvertes de bagues et le livre à la reliure de cuir qu'elle lisait. Émilie l'observait, à l'abri derrière une étagère. Qu'est-ce qu'elle devait faire ? Aller la voir comme si de rien était ou passer son chemin ? Elle n'avait pas remis les pieds au Dubliners par peur de découvrir de la pitié dans son regard. Celui qu'on accorde aux cas sociaux, aux miséreux.

Hiro leva la tête de son livre pour s'étirer sur toute sa longueur, les bras tendus vers le ciel et les doigts prêts à attraper un objet imaginaire au loin. Un couinement lascif s'échappa de ses lèvres et elle reprit sa position initiale en bâillant.

— Tu t'y prends tôt, fit Émilie en s'approchant.

— Lecture plaisir. Tu vas bien ?

Émilie hocha la tête. Maintenant qu'elle la revoyait, elle avait l'impression étrange d'avoir longtemps attendu ce moment. Le simple fait d'être à ses côtés dissipait la frustration de sa matinée gâchée. Tout en remuant le couteau dans la plaie.

– Bon, reprit-elle avant que le silence ne devienne gênant. Je vais aller me trouver une place pour faire connaissance avec le bonhomme — Émilie secoua le polycopié qui lui servait de manuel — c'est dommage qu'il n'y ait plus de pouf disponible, ça a l'air confortable.

– Bah, viens, y a de la place.

Pour ne laisser aucune chance à un refus, Hiro se redressa, attrapa le poignet de la blonde et tira d'un coup sec. Émilie céda sans lutter. Les millions de billes du *fatboy* massèrent son dos. Un râle de bonheur traversa ses lèvres.

– J'en conclus que tu aimes, dit Hiro.

– Trop. Y a pas moyen que j'arrive à bosser dessus, je vais juste m'endormir.

– Je vais finir par croire que je te fais cet effet.

– Non, c'est pas toi ! s'empressa de dire Émilie. J'ai pas beaucoup dormi parce que je pensais à la rentrée et là je suis allongée donc…

Hiro souriait de toutes ses dents.

– Oh, d'ailleurs.

Elle sortit de la poche de son jean une antiquité. Un téléphone à clapet. Émilie l'attrapa, le manipula délicatement. Sa grand-mère avait eu le même, à une époque.

– Tu l'as volé dans un musée ? demanda Émilie.

– Exactement. D'ailleurs si tu vois la police arriver, je compte sur toi pour me cacher.

– Non, sérieusement. Qu'est-ce que c'est ce machin ? Tu es en opposition à la technologie ou un truc du genre ?

– 25 euros, neuf, avec un abonnement moins cher qu'un paquet de clopes. Que.De.Man.Der.De.Plus.

Hiro avait tapé dans ses mains à chaque syllabe, presque fière de sa bonne affaire. Au loin, un étudiant se mit à râler. Elle reprit à voix basse.

– En attendant, tu te moques, mais maintenant on peut se planifier ce tour de la ville, au lieu d'attendre que la bonne fortune nous rassemble.

Sur ces sages paroles, la japonaise reprit sa lecture dans un silence religieux. Il n'y avait aucune gêne entre elles, à croire qu'Émilie s'était monté la tête pour rien. Soulagée, elle tourna la feuille de son polycopié, passant du titre au contenu.

Des mots pour comprendre les maux, sans en faire trop, juste du noir sur du blanc, quelques sauts de ligne et une volonté d'exhaustivité qui traversait des banalités. Le début donnait le ton. Qu'est-ce que la pensée ? Comment traite-t-on la réalité du monde ?

Émilie sentit les poils de ses bras se redresser. Elle savait pour la lumière, l'œil, les neurones, les synapses puis l'information. Maintenant la leçon continuait sur son traitement. La perception.

Sans perception, elle ne pourrait entendre la respiration d'Hiro à ses côtés, ni sentir la peau nue de son bras contre le sien. Sensation brute ; processus ascendant. Il y avait aussi les tâches qui semblaient couler sur les pages du livre qu'elle lisait. Idéogrammes qu'Émilie reconnaissait sans pour autant les comprendre. Analyse cultivée ; processus descendant.

– Qu'est-ce que ça raconte ?

– Musashi. C'est une version romancée de la vie du type mais on y croit, c'est sympa.

– C'est qui ?

– Un samouraï plutôt balèze, à l'époque où ils étaient artistes et philosophes. Après, si tu maîtrises pas l'histoire du Japon, au moins l'ère Edo, il doit être assez obscur.

– Je connais. Probablement pas autant que toi mais peut-être assez pour comprendre.

L'orgueil d'Émilie se gonfla lorsque le regard d'Hiro pétilla d'un éclat de respect intellectuel. Elle lui raconta plus en détail sa lecture, ce qui lui plaisait dans la vie de cet homme qui combattait avec un sabre en bois, tellement autodidacte qu'il avait initié une nouvelle pratique à deux armes et, en même temps, capable de se nourrir d'un enseignement plus traditionnel. Un guerrier aux victoires foudroyantes, parfois sans dégainer.

Son murmure à peine audible glissait dans l'oreille d'Émilie qui l'écoutait avec la patience des enfants qui aiment s'évader au loin. L'élan passionnel prenait la place de la fille calme ; ses yeux bridés s'ouvraient plus grand, sa langue avalait les syllabes pour sauter plus vite à la suivante et faire défiler son idée avant qu'une autre n'arrive.

Autour d'elles, la matière s'égraina comme les minutes. Les murs se fissuraient, le sol se déchirait et le gouffre qui les séparait maintenant du reste du monde se changea en océan. Seules sur leur coussin à la dérive, loin de tout, elles laissèrent le temps s'échapper.

5

Chaussure ouverte, lunettes de soleil et écran total. Émilie profitait aujourd'hui de l'été qu'elle n'avait pas eu. Ses papilles curieuses goûtaient les raisins du marché tandis qu'elle déambulait entre les stands comme un touriste en bord de mer. Le blanc des murs scintillait sous les rayons d'un soleil de plomb. La chaleur était terrassante malgré sa petite robe légère et la jeune fille souffrait pour tous ces étudiants qui n'osaient pas porter autre chose qu'un jean. Le marché laissa la place aux associations de l'université. Sport, politique, culture, elle passa sans s'arrêter devant ces stands qu'elle connaissait par cœur. La grève lui procurait beaucoup trop de temps libre, d'autant plus qu'elle ne suivait ces rebondissements que de très loin. Les hautes sphères débattaient encore de l'embauche ou non d'enseignants et, en attendant, les étudiants se contentaient de huit heures hebdomadaires en amphi. Trois cents personnes plus ou moins attentives qu'on abreuvait d'un torrent d'informations dans un rythme effréné. Émilie se plaçait généralement dans les premiers rangs pour ne pas être distraite par ses pairs et grattait du papier sans lever la tête pendant deux heures. Pas de questions, pas de pauses pour digérer l'information, pas d'échange. Elle passait ensuite autant d'heures à réécrire au propre ses notes chaotiques et, le reste du temps, elle s'occupait.

Ses manuels, l'exaltation de la première lecture passée, prenaient la poussière sur son bureau, en attendant d'être fichés.

Baptiste leva la main pour la saluer, assis derrière son stand. Il la jaugea de haut et bas et tira la seule conclusion possible :

– T'as pas cours ?

– Tu devrais le savoir. On a cours ensemble le lundi, le mardi et le jeudi. Mais je tourne en rond chez moi alors je viens quand même.

– La chanceuse, fit-il en se levant.

Contrairement à elle, Baptiste travaillait en plus de ses études et accordait le reste de son temps à son association. Imagin'arium avait pour ambition de promouvoir la littérature de l'imaginaire et, à plus grande échelle, toute forme d'art s'en approchant. Ils organisaient tout un tas d'évènements en ville, notamment la préparation d'un Salon du livre en mars. Émilie écoutait avec une attention polie, dans la mesure où elle n'ouvrait jamais un roman en dehors du programme, et encore, un résumé Wikipédia faisait souvent illusion.

Sarah sortit de la foule des étudiants, deux sandwichs à la

main et prit place derrière le stand. Elle la salua vaguement avant de se plonger dans la lecture d'un roman de Pratchett. Depuis la soirée au Dubliners, la coloc' de Baptiste se montrait à peu près aussi aimable qu'une porte de prison au milieu de la Sibérie. D'après le colosse, ce comportement tenait plus d'un caractère introverti que d'une animosité à son égard mais Émilie savait que la réalité était tout autre. Baptiste attrapa son repas, mordit dedans et reprit la discussion, ignorant complètement sa présence :

– Tu devrais t'engager dans quelque chose qui t'intéresse. Si tu te contentes d'aller en cours, l'université perd de son charme.

– Pas sûr. Au lycée, j'alternais entre les cours la journée et le handball le soir avec des compétitions tous les week-ends. À force, c'est usant et on ne profite plus de rien.

– Il y a un juste milieu. Tu m'arrêtes si je me mêle de ce qui me regarde pas mais l'ennui n'est pas l'allié des études.

– Au pire t'as qu'à t'intéresser à ce qui se passe autour de toi, intervint Sarah.

L'étudiante en Lettres leva la tête de son livre pour toiser Émilie. Voilà la vraie raison de son animosité ; Émilie ne participait pas au mouvement de grève de sa filière. Un faux pas impardonnable pour tous les politicos de l'université.

– Pour quoi faire ? On ne peut pas gagner en opposition frontale à l'autorité. La preuve c'est qu'il y a des manifestations tout le temps depuis que je suis au lycée et, à la fin, ça ne sert à rien.

– Fascimmmst.

Sarah avait beau cacher son insulte dans un éternuement mal joué, Émilie campait sur sa position : on ne luttait pas contre un système mais dans celui-ci. Baptiste, mal à l'aise, attrapa le bras de la blonde et l'éloigna du stand, avant que la dispute n'éclate entre elles et reprit leur discussion où elle s'était arrêtée.

– Tu veux faire quoi du coup ?

– À choisir, je préférerais travailler, au moins en attendant la fin de la grève. Mais je sais pas par où commencer...

– Alors là, c'est pas bien compliqué. Tu peux me donner ton C.V. et une petite lettre de motivation. Le mien est plein mais Mcdo cherche en continu des employés. C'est vraiment un boulot de galérien par contre.

– Je t'envoie ça demain.

Les deux amis partirent se poser sur le rebord d'un grand escalier extérieur en pierre. Pendant la pause déjeuner, les clubs culturels de l'université faisaient leur promotion. Ce jour-là, chorégraphies de danse tribale, capoeira et musiques d'Afrique. Émilie prit les représentations en vidéo et les posta directement sur Instagram. Son compagnon de repas lui jetait un œil perplexe.

– C'est fou ce réflexe de ta génération de tout poster sur l'Internet, immédiatement. Depuis que je te suis sur Insta mon flux est moitié rempli de tes publications, moitié de celles de ma petite sœur.

Émilie se pinça la lèvre, accordant une minute de réflexion à cette remarque avant de lui répondre :

– Ça me donne l'impression de n'être jamais loin de mes

amis. Je les porte avec moi, ils me portent avec eux. À la base je me suis inscrite spécifiquement pour mon frère, il y postait son travail et c'était des morceaux de ses journées.

Baptiste se gratta le menton.

– Tu as une belle relation avec ton frère, ça me rend un peu jaloux. Même avec mon jumeau je n'ai pas ce besoin de proximité.

– Ça n'a pas toujours été le cas, au contraire. En fait...

Émilie s'arrêta, plongée dans des souvenirs teintés d'une nostalgie amère.

– En fait, continua-t-elle, ma mère nous obligeait à passer du temps ensemble, surtout quand on ne voulait pas. Alors on a fini par se trouver des passions communes pour que ces moments à deux ne soient pas trop désagréables. De fil en aiguille, elle n'avait plus à nous forcer.

– La photo ?

– Non. Les jeux vidéo et la randonnée, plus récemment le trail.

– C'est quoi encore cet anglicisme tout moisi ?

– De la course en milieu sauvage.

– Ah oui, je comprends tout à fait le besoin de créer un nouveau mot. Y avait un manque flagrant dans la langue française.

Émilie lui tira la langue, à défaut de trouver une répartie correcte. Baptiste se fendit d'un sourire avant de froisser l'emballage de son sandwich et de se lever.

– Bon, fit-il. Ce fut bref mais intense. Tu viens toujours chez moi avant le concert ?

– Je sais pas, je devrais pas sortir trop souvent, je rentre dans une mauvaise routine et je vais plutôt…

– Hiro a pu se libérer finalement.

– … et en même temps, si je ne profite pas maintenant, je vais passer à côté de ma jeunesse. C'est à quelle heure ?

Baptiste envoya l'emballage sur la tête d'Émilie, l'air faussement vexé.

– T'en as rien à faire de moi, en vrai.

– Complètement. Je viens pour 21 h, ça te va ?

Les deux étudiants se quittèrent là. Baptiste devait partir travailler et Émilie migra sans se presser vers le bâtiment de langues. Pour d'obscures raisons, aucun des premiers années n'avait de cours d'anglais au premier semestre mais ils passaient tous un partiel en décembre. Déjà mauvaise sous l'autorité d'un enseignant, elle n'avait aucune idée de comment améliorer son anglais en autodidacte et ne se faisait pas beaucoup d'illusion sur son échec à venir.

Ce n'était pas faute d'avoir demandé des conseils. Les mêmes phrases revenaient dans toutes les bouches, leitmotiv au rabais. Il faut aller sur *memrise*, regarder ses films en anglais, rien de mieux que l'immersion à l'étranger. Des évidences faciles à appliquer et, en même temps, si peu efficaces sur elle. Mais il lui restait un espoir, une carotte au bout du bâton ; l'envie de tenter l'ERASMUS. Partir étudier hors de la France, au Canada, en Irlande ou en Suède. Dans des pays froids aux grandes étendues sauvages.

Confortablement installée dans un siège du Centre de Ressources, Émilie brancha un casque à disposition et lança en version originale un film vu une dizaine de fois : Le Moulin Rouge. Incapable de comprendre en anglais, elle utilisait sa mémoire pour retrouver du sens dans les dialogues et, avec l'illusion du travail, s'éveilla la culpabilité de perdre son temps.

Émilie poussa la porte de son appartement dans un soupire d'aise. Enfin, elle pouvait envoyer ses chaussures valdinguer à l'autre bout de la pièce, détacher ses cheveux et s'enrouler dans sa couverture comme un burrito. Elle se repassa les souvenirs frais de la soirée, prête à repartir dans un fou-rire. Le chanteur qui donnait de la voix dans des gueulantes généreuses, de la bière, un pogo déjanté. Hiro qui faisait l'avion au retour, hissée sur le dos de Baptiste. Pas vraiment la même ambiance que pour le concert de Tryo où sa mère l'avait emmenée l'an dernier. Émilie composa son numéro de mémoire sans appuyer sur le bouton vert. Cette fois elle n'avait pas oublié et, pourtant, un espoir stupide lui laissait croire qu'elle pourrait répondre au téléphone.

Dans quelques jours, elle aurait peut-être un entretien d'embauche. Pour une chaîne de fast-food, certes, mais son tout premier quand même. Dans quelques jours, voire quelques semaines, elle serait peut-être en train de cuisiner des burgers. Une végétarienne à McDonald's. Quelle sombre blague ! Mais cette blague, c'était sa vie. Cette pensée lui glaça le sang.

Son souhait se réalisa. Émilie entra dans la vie active, comme tant d'autres étudiants. L'accès employé de McDo se trouvait à côté des toilettes. Dès la porte ouverte, une odeur de graisse froide prenait à la gorge. Les quelques pas à franchir jusqu'aux vestiaires étaient glissants, trempés. De quoi ? De gras. À chaque fois, Émilie avait l'impression de rentrer dans une motte de beurre.

Les chaussures de sécurité enfilées, elle tenait correctement sur ses deux jambes et pouvait se diriger vers les cuisines et débuter le rituel. La charlotte sous la casquette, le lavage de main digne d'un chirurgien, retourner à l'entrée pour pointer le début de son service parce qu'elle oubliait toujours, revenir se laver les mains, occuper son poste.

Pour l'instant ils n'étaient que trois en cuisine. Ça lui laissait l'espace pour vérifier ses réserves de pains, de steaks et de condiments avant le grand rush. Là, l'équipe serait au complet.

Les premières commandes s'enchaînaient déjà pour fêter la sortie d'un nouveau burger, celui qu'elle devrait préparer ce soir-là. Ce midi elle avait fait les Big Mac et il lui fallait tout désapprendre pour entrer dans le moule. Le burger à la mode, c'était le bon plan en cuisine. Pas besoin de réfléchir ou d'anticiper, juste d'enchaîner les commandes le plus vite possible. Après une semaine, Émilie commençait à comprendre le système fast-food. Pourtant, le rush lui faisait toujours le même effet. Celui d'un champ de bataille.

Des cris, des bips, le sol jonché de cadavres de nourriture. Un retard irrattrapable malgré tous leurs efforts. Émilie mettait toute son énergie dans chacun des petits gestes nécessaires à son travail. Elle se brûlait les doigts sur les pains toastés puis, la seconde suivante, plongeait sa main dans le congélateur à la recherche de viande. L'odeur de bœuf grillé lui donnait la nausée pendant qu'elle salait, poivrait puis grattait la plaque dégoulinante de jus, de graisse et d'eau.

Son binôme dans cet enfer, un étudiant longiligne qui avait commencé le même jour, montait en pression. Plus l'heure avançait, plus le tableau de commande s'affolait et plus il se mettait à hurler.

– Arrête de nettoyer les grills, on a pas le temps.

Émilie répondit avec plus de sécheresse qu'elle ne l'aurait voulu.

– C'est cancérigène !

Son binôme la bouscula pour relancer les steaks avant qu'elle ne nettoie et referma brusquement la plaque.

– Une fois toutes les trois fournées, dit-il comme s'il s'agissait d'un compromis honnête.

De nerf, Émilie lui en aurait collé une. Mais un bip les appelait ailleurs. Au milieu du chaos il fallait trouver le temps d'aller se ravitailler en tout et de lancer une machine de chiffons.

Émilie déposa sans ménagement la viande sur le burger branlant et relança la dernière fournée du paquet. La plaque de cuisson était lourde, elle s'ouvrait seule mais ne se fermait pas si facilement. Dans la précipitation, Émilie se levait souvent sur la pointe des pieds et appuyait sur la poignée de tout son poids. Cette fois, sa main glissa et heurta de plein fouet le grill. Son idiot de binôme avait fermé la plaque avec ses doigts pleins de sauce.

La paume, rouge vif, se couvrit immédiatement d'une bulle pour apaiser la brûlure. La douleur était aussi violente que sa colère. Si elle prenait une minute pour se mettre de l'eau fraîche, elle n'aurait pas le temps d'aller se ravitailler avant la cuisson de ses steaks. Travail de tarés.

Émilie revint trente secondes plus tard avec les cinq kilos de bœufs congelés.

Passé la première brûlure, le rush devenait interminable. Émilie transpirait de chaud et, en même temps, les poils de son bras se hérissaient de froid, à cause des petites brûlures permanentes et de la douleur. Ses muscles criaient de s'arrêter mais, les soirs de match, il n'y avait pas de fin. Les vagues d'affluences répondaient aux vagues d'affluences, de telle sorte que, vers 23 h, quand le tableau de commande se couvrit de noir, Émilie n'y croyait plus.

Elle termina son dernier burger pendant que le binôme récurait le plan de travail. Il avait une qualité, ce con, c'est qu'il n'avait pas peur de manipuler l'acide utilisé pour nettoyer les plaques de cuisson. Puis quand le stress diminuait, il redevenait supportable. Elle aida à la plonge pendant que les autres grattaient le sol et, à la chaîne, les employés se passèrent un jet d'eau sous les chaussures. Les morceaux de pain trempés se décrochaient pour aller rejoindre les déchets au fond de l'évacuation d'eau. Puis il fallait gratter la plonge et vérifier les machines à laver.

Il était 1 h quand l'équipe put se poser et manger. Émilie, son wrap veggie dans les mains, ne savait plus quoi penser de son corps. Elle était anesthésiée, vannée comme après une double séance de crossfit. Elle écoutait d'un air absent la discussion de ses collègues, quasiment tous des étudiants.

Pleins d'une énergie dont la jeune blonde se sentait dépourvue, ils se vantaient de consommer en soirée des joints de la taille d'un bras. Émilie se sentait aussi proche d'eux qu'elle pouvait l'être d'un animal au zoo. Elle pouvait passer des heures à les regarder agir ensemble, avec un mélange de pitié et d'affection, sans ressentir une seule fois l'impression qu'ils appartenaient au même monde. L'inverse devait être vrai, d'ailleurs.

Son binôme de la soirée, le longiligne dont elle n'arrivait pas à retenir le nom, termina son Big Tasty dans un rot.

– Allez princesse, je te ramène ? dit-il à l'attention d'Émilie.

Dire qu'en été, ce mec faisait des stages en costume-cravate dans de grands cabinets d'avocats. Dans quelques années, il gagnerait facilement deux ou trois fois son salaire. Il prendrait des décisions importantes pour la vie des autres. Ce gros porc.

Émilie revenait de ses journées à McDo avec l'impression diffuse que le monde ne tournait pas très rond et elle semblait être la seule personne à s'en rendre compte.

6

Les feuilles mortes défilaient sous ses chaussures au rythme d'éminents paroliers qui noyaient son esprit de leur verbe. Eminem, Grand Corps Malade, Orelsan, la secte phonétik, quelques-uns des meilleurs poètes du nouveau siècle.

Mais Émilie n'écoutait pas, elle courait de plus en plus vite, ignorant aussi les soubresauts de son cœur qui lui criait de s'arrêter. Elle ne pouvait pas. Si elle le faisait, il la rattraperait. Qui ? Elle-même ne savait pas mais elle sentait cet instinct qui dictait sa conduite et ordonnait à son corps de fuir à en perdre le souffle, à en perdre la tête. Jusqu'où ? Jusqu'au bout du monde s'il le fallait. Son souffle se faisait rauque, sa transpiration coulait le long de son dos mais ses jambes ne faiblissaient pas.

Un couple de passants se baladant tranquillement l'obligea à sauter sur la pente pour les doubler sans les bousculer, un écart minuscule qui suffit à ce que les ombres qu'elle fuyait entrent en elle et l'emplissent toute entière.

Émilie arriva dans l'impasse Victor Hugo bien après le coucher du soleil. Sa petite course le long du canal l'avait menée tellement loin qu'elle avait dû se résoudre à prendre le métro pour rentrer, transie de froid une fois sa sueur évaporée.

Sur le palier de son immeuble, Hiro l'attendait, l'air d'être là par hasard. Depuis qu'elle avait un téléphone, elle continuait à vivre dans les années 1990 et esquivait autant que possible cette technologie étrange qu'on appelait « les SMS ». D'ordinaire, Émilie aimait ce côté *old-school* et les rencontres fortuites qui allaient avec. Ce soir, elle ne se sentait absolument pas la force de feindre la joie de vivre.

– Tu vas rire, commença Hiro dans son discours bien rodé, mais je passais dans le coin et je me disais qu'on pourrait se voir.

– Nope.

Hiro fronça les sourcils, sûrement aussi déboussolée par le refus inhabituel que par le ton froid avec lequel il avait été prononcé.

– J'ai des devoirs, se justifia Émilie.

– Pour ça il faut avoir cours.

Tentative de blague ratée. Émilie entra dans l'immeuble, suivie de près par son invitée surprise.

– Tu veux pas sortir maintenant mais attends de voir. Y a Ben, Sam et l'autre Ben — le pote de Benoît qui couchait avec

Safa — ils organisent l'anniversaire d'Akim au Laser Game. Baptiste sera là aussi.

– Tu sais que je connais pas la moitié de ces gars ?

– Ouais mais t'aimes tirer sur des gens dans le noir et courir partout.

Émilie haussa les épaules. Hiro marquait un point mais sa journée de travail l'avait épuisée. Chaque moment de silence laissait résonner dans son crâne les bips incessants des machines. Elle se sentait sale, son corps entier lui faisait mal et elle ne désirait plus qu'une chose : ramasser les débris de sa dignité en paix.

– Je veux voir personne, reprit Émilie. Une autre fois.

– D'accord. On se fait un truc à deux ?

– Elle est têtue, soupira Émilie. Tu te rends quand même compte du ridicule de ton comportement ?

L'étudiante entra dans son appartement. Cette fois, Hiro resta sur le seuil comme un vampire sans invitation. Son attention se focalisa sur la peinture écaillée autour de la porte alors que sa voix se fit hésitante et timide.

– J'avais juste envie de passer du temps avec toi. Après si t'as pas envie je vais pas te forcer.

Cette bouille. Cette adorable moue boudeuse à laquelle elle ne pouvait rien refuser. Émilie attrapa la japonaise par son perfecto et l'entraîna à l'intérieur du studio.

– Puisque tu insistes, fit-elle. Mais on passe la soirée ici, à rien faire. En échange demain je termine à 15 h, tu m'emmèneras où tu voudras et je ne me plaindrai pas.

Hiro se tordit la bouche, hésitante.

– Ne rien faire ?

– Presque rien. Je suis très curieuse de savoir ce que Hiro… c'est quoi ton nom de famille ?

– Watanabe.

– Ce que Hiro Watanabe fait quand elle est seule chez elle. Le peuple a besoin de réponses. Qui es-tu quand personne ne regarde ?

Hiro souffla du nez, la moquerie au bord des lèvres.

– Comment tu comptes t'y prendre ? demanda-t-elle. Au minimum tu peux savoir comment je me comporte quand je suis seule avec toi, ce qui est déjà le cas. Ou alors tu as placé une caméra dans la pièce en bonne étudiante de psycho que tu es.

– Montre-moi. Je vais me doucher et, en attendant, tu peux faire comme chez toi. Prends tes aises, sers-toi dans le frigo, utilise mon ordi.

– T'es folle.

Émilie s'échappa après un clin d'œil. Enfermée dans sa salle de bain, elle souffla un grand coup. Son assurance de façade cachait une excitation toute particulière. Depuis qu'elle travaillait à McDo, les deux filles ne se voyaient presque plus et encore moins en tête à tête. Pourtant, chaque fois c'était la même chose. Tout était tellement attirant chez elle. Ses yeux, sa voix, sa mâchoire, ses mains, tout. Une attraction magnétique difficile à réprimer.

Qu'est-ce qui l'empêchait d'y céder ? Bastien. Le souvenir des larmes de son ex quand elle avait brisé son petit cœur innocent.

De retour dans sa pièce de vie, lavée de toute trace de trans-piration et de reste de graisse, Émilie découvrit son invitée assise par terre, face à la table basse, une bière dans la main. Elle fut d'autant plus surprise qu'il n'y avait pas la moindre goutte d'alcool dans ses placards.

– T'as trouvé ça où ?

– J'ai fait des courses. Si tu veux que je prenne mes aises, il faut de la bière, du riz et ma guitare mais pour le coup j'ai eu la flemme d'aller la chercher donc je vais faire avec les deux premiers.

Émilie se retint de justesse de lui demander ce qu'elle faisait par terre. Elle en profita pour s'étaler de tout son long sur le canapé.

La télé passait un documentaire Arte sur l'architecture. Zaha Hadid, inconnue au bataillon. Hiro regardait avec l'attention d'un enfant devant son dessin animé préféré.

– T'aimes bien ou tu regardes par défaut ?

– J'aime bien. Enfin… ça dépend. Zaha, ça passe. Elle a une architecture élégante, tu peux pas détester. Et, en même temps, c'est ce qui fait le défaut de l'architecture moderne. Elle devient trop artistique, trop individuelle et elle n'appartient plus à sa population. L'Empire State Building c'est l'œuvre d'un homme brillant mais, aussi, le symbole fort du désir de suprématie américaine alors que le pays entre dans la Grande Dépression.

– Tu finirais presque par me faire aimer le béton.

– Faut que je continue alors.

Le sourire taquin qui illuminait le visage de la japonaise

aurait pu incendier la banquise. Émilie s'éloigna préparer à manger. À la fin de son premier mois d'indépendance, il ne lui restait plus que des lentilles, du fromage râpé et, maintenant, du riz. Son compte en banque criait famine au même titre que ses papilles, épuisées par un régime à base de glucides et de *wrap veggie*. Une partie de sa mauvaise humeur venait de là, d'ailleurs. Son corps réclamait des fruits, des légumes et tous les nutriments dont elle le privait.

Point positif et non des moindres, toutes ses souffrances dans la restauration rapide lui permettraient de régler en partie le problème.

Pour accompagner son riz blanc, Émilie sortit sa DS d'un placard et s'installa près de Hiro, à même le sol. La tête posée contre son épaule, elle se réfugia dans le retour à l'enfance d'un Pokémon. Loin, très loin de toutes les considérations d'adulte.

– C'est quoi ce truc ?

Émilie releva la tête. Hiro regardait bien l'écran de sa console, d'un air perdu.

– Le dernier en date. Tu t'es arrêté auquel ?

– J'ai jamais joué à ça.

– Personne n'a *jamais* joué à Pokémon, fit Émilie en levant les yeux au ciel. C'est comme si tu me disais que tu n'as *jamais* vu un épisode du dessin animé. Qu'on aime ou pas, on peut pas y couper depuis 20 ans.

– Je te jure. Mes parents étaient anti technologies et même quand j'ai eu l'occasion d'essayer, je n'ai jamais accroché. Vu que tu as l'air de passer pas mal de temps sur ces trucs, je suis curieuse.

L'étudiante ne savait même pas par où commencer. Son genre de jeux préférés, le conflit console versus pc, le concept même du gaming.

– Les jeux vidéo, commença-t-elle. Les jeux vidéo, c'est comme regarder une série sauf que tu as moins d'ellipses et que tu es acteur de l'histoire. Dans Pokémon, tu es un enfant qui veut capturer tous les animaux de sa région et combattre d'autres dresseurs.

Hiro hocha la tête, peu captivée. Son regard retourna lentement vers son documentaire, son bras passa au-dessus des épaules de la *gameuse* et elle n'aborda plus la question.

Moins d'une dizaine de minutes plus tard, la console lui tomba des mains. Émilie laissa sa tête couler jusqu'aux cuisses de la japonaise, dans un râle.

– Je m'ennuie, dit-elle.

Extatique, Hiro rappela le fameux anniversaire qui les attendait.

– Non, je veux dire, je *m'ennuie*. Depuis que ma mère est, tu sais, je me sens bizarre. Je veux quelque chose, je m'amuse cinq minutes et, ensuite, je suis lassée.

– Tu te sens vide ?

Émilie fixait le crépi de son plafond, sans savoir ce qu'elle ressentait ni ce qu'elle souhaitait faire. Hiro enleva sa cuisse pour venir se coucher près d'elle et lui murmurer à l'oreille :

– Tu m'échangerais la journée de demain contre un après-midi de la semaine prochaine ? Il y a un endroit que j'aimerais te montrer.

À cette distance, Émilie pouvait sentir le bout de son nez frôler celui de Hiro. Là, elle ressentait quelque chose.

7

Le coup de téléphone hebdomadaire rythmait désagréablement la semaine de l'étudiante. Non content de la réveiller aux aurores tous les dimanches matins, Pascal posait systématiquement les mêmes questions froides, déshumanisées, comme un contrôleur de qualité devant une chaîne ouvrière. « Tu vas bien en cours ? Tes notes ? Tu surveilles ton poids ? Au sujet de tes finances... À la semaine prochaine. » Fin du calvaire.

Il en devenait si prévisible qu'Émilie se couchait le samedi avec un post-it où elle écrivait ses réponses, pour trouver les mots après un réveil brutal qui la laissait brumeuse. Elle s'attendait tellement à ce petit rituel que ce dimanche là, quand son téléphone se mit à vibrer à 7 h 12, elle n'écoutait plus vraiment ce que le paternel pouvait déblatérer.

– Bonjour, Émilie. Tu serais disponible pour qu'on mange ensemble ce midi ?

– Toujours.

– Mon amie avocate sera de passage et elle voudrait discuter avec toi.

– Y a pas de problèmes.

– Bien, tu ne pourras pas dire que je t'ai prise en traître.

– J'en ai pas l'intention.

– Je t'attends à 12 h chez moi alors. À toute à l'heure ma puce.

Émilie eut le temps de se doucher avant que le contenu réel de la conversation ne lui saute au visage.

– Et putain ! cria-t-elle dans le vide.

La maison de son père ressemblait à un catalogue Ikea ascendant minimaliste. Tout était à sa place, bien rangé. Les couleurs des meubles formaient une ambiance qui changeait aussi souvent que les saisons. Cette fois-ci l'ensemble était dans les anthracites et crème. Daphné, la fameuse amie avocate, découvrait et commentait le nouveau mobilier avec la même surprise qu'Émilie. C'était une brune longiligne au nez aquilin, difficile à décrire autrement que par un air *parisien*. Une expression fourre-tout que seul un provincial pouvait comprendre mais dont elle ne trouvait jamais de synonyme.

Pour l'occasion, son père s'improvisait guide. Il parlait de chacun de ses meubles avec des étoiles dans les yeux, à croire qu'il les aimait vraiment et n'allait pas s'en séparer au prochain catalogue. Émilie l'encourageait de quelques exclamations théâtrales et, elle l'aurait juré, Daphné feignait aussi son intérêt.

Ce n'est qu'un peu plus tard, à table, qu'elles furent officiellement présentées. Émilie la trouvait dynamique, jolie, agréable. C'était à se demander comment elle pouvait être amie avec Pascal.

– Ça sent excellemment bon, dit-elle en prenant place.

Sa chemise blanche s'étirait au niveau de sa poitrine, laissant à peine entrevoir le beige de son soutien-gorge. Émilie, assise en face, détourna trop tard le regard. Ce qu'il faisait chaud, tout d'un coup.

Pascal posa les lasagnes végétariennes au centre de la table et s'installa aussi.

– Alors, qu'est-ce que tu racontes, Daph' ? lança-t-il.

– Guère plus que la routine. Il y a ce grand procès en cours mais je ne peux pas trop en parler. Du moins pas tant que le verdict n'a pas été prononcé.

– Elle se fait prier, ricana Pascal.

Daphné leva les mains en l'air comme un détenu arrêté par la police.

– Tout ce que je peux dire, c'est que je le sens merveilleusement bien.

– On parle de quel genre de procès ? fit Émilie pour donner l'impression que cette conversation l'intéressait.

– Une association contre une multinationale. Le pari le plus risqué. Je suis libérale mais je ne prends que des affaires sur l'écologie et c'est souvent le minuscule poisson face à la baleine.

Là, tout d'un coup, elle venait d'attraper la curiosité de l'étudiante.

– Et… pardon pour la question mais… tu en gagnes parfois ?

– De temps en temps. L'important est de créer un précédent. Il suffit qu'une fois, une seule petite fois, la nature gagne et les écocriminels hésitent à recommencer. Pour eux, les sommes qui se jouent sont dérisoires mais ils craignent plus que tout de ternir leur image publique.

– C'est important.

– C'est ce qu'il faut se dire. Quand je perds un procès ou que j'ai une journée difficile, je me regarde dans le miroir et je me répète « Daphné, ce que tu fais va peut-être changer le monde un jour. Alors donne le meilleur ».

Émilie hocha la tête. Il en fallait des métiers et des gens de ce calibre. L'admiration qu'elle sentait naître doucement n'arrangeait rien à sa bouffée de chaleur de tout à l'heure. Daphné avait une manière très distinguée de manger. Elle se servait de petites bouchées et s'essuyait les lèvres avant de boire.

– Comment tu as vécu les études ? relança son père.

– Pas très bien. Le droit est un univers vraiment… élitiste. Il fallait s'accrocher par moment mais j'ai pu côtoyer mes futurs adversaires et, rien que pour cela, j'estime que l'expérience en valait l'effort. La vie marche souvent de cette manière, après tout. Les récompenses les plus grandes demandent le plus de concessions.

– C'est vrai, enchérit Pascal. Il faut penser investissement long terme et pas plaisir court terme.

Ça y est, Émilie sentit le piège l'encercler. Elle aurait dû s'en douter. Pourquoi son père voudrait-il lui présenter une

« amie » à lui, sauf pour son propre intérêt ? Et qu'avait-il à y gagner, si ce n'est une fille avocate ? L'étudiante bouillonnait de rage.

– Je ne pourrais pas être plus d'accord avec vous, dit-elle. En ce moment j'endure justement des études que tout le monde méprise alors que les troubles mentaux causent 4 % des morts prématurés en France. Et je compte même pas les troubles alimentaires et toutes ces vies gâchées, tout ça parce qu'on a aucune putain d'idée de ce qu'il se passe à l'intérieur de notre propre cerveau.

– Alors fais de la neurologie ! hurla Pascal. La psychologie n'est pas une science et elle n'a jamais aidé personne. C'est juste une bande de débiles en blouse qui jouent au docteur. Tu crois vraiment qu'ils veulent aider les gens ? Jusqu'à récemment ils électrocutaient pour soigner et aujourd'hui, ils ne savent que donner des médicaments.

– Évidemment, tu te ranges derrière ces arguments de merde. En même temps t'as jamais compris ce que c'était la recherche ! On tâtonne, on essaye, on expérimente et, du coup, on se trompe. Mais, tu sais quoi ? C'est justement parce que la solution n'est pas évidente qu'on doit d'abord échouer. Pasteur a été pris pour un taré avant d'inventer le vaccin, c'est pareil partout ; il faut passer pour un fou si on veut que les suivants fassent la différence.

– Tu vas droit dans le mur.

– C'est mon choix.

Émilie sentit son téléphone vibrer sur la table. Elle l'attrapa, les mains tremblantes. Julien, code rouge.

– Faut que j'y aille. La prochaine fois, contente-toi de m'appeler.

Émilie dévala quatre à quatre les marches de la résidence en pestant contre l'ascenseur en panne et s'engouffra dans la chambre de Julien sans toquer. Il avait beau lui avoir déjà montré des photos de son modeste placard à balais, l'exiguïté de la pièce la frappa dès son entrée.

Un petit 10 m² mal fichu contenant une salle de bain, une cuisinière et tout juste de quoi mettre un lit et une armoire. Il devait à peine lui rester la place de respirer.

Allongé torse nu sur son lit, Julien dormait paisiblement, la main sur une poche à froid qui lui recouvrait une partie du ventre. Son visage était mangé par une barbe trouée. Le jeune homme sortit doucement du sommeil quand Émilie glissa ses doigts dans ses cheveux crépus. Il sourit avant même d'ouvrir les yeux.

– Tous les réveils devraient se passer comme ça.

– À ton service — Émilie laissa couler quelques secondes pour choisir ses mots — Alors, code rouge ?

– J'ai presque pas dormi depuis trois jours, j'avais oublié de manger à midi et, paf, ça fait des chocapics. Malaise alors que j'utilisais ma bouilloire.

Émilie lui lança un regard lourd. Elle enleva ses chaussures pour s'allonger à côté de lui et constata l'étendu des dégâts. Sous la poche de froid, la peau était rougie, légèrement cloquée par endroit. Avec de la crème, il n'en resterait aucune trace. Avec un vécu différent, elle n'aurait sûrement pas jugé utile de s'inquiéter. Ce n'était qu'un accident domestique, après tout. Personne ne mourrait en se renversant de l'eau bouillante sur le ventre mais en modifiant un tout petit peu la situation…

– Ménage-toi avant de tomber dans les pommes dans un escalier.

– Je prends tout le temps l'ascenseur maintenant. J'ai presque jamais pris l'escalier depuis…

– Ou pendant que tu tiens un couteau, ou sur un passage piéton. Fais attention à toi, c'est tout ce que ça veut dire.

Le regard de Julien se perdit brusquement dans le vide, il venait de s'endormir les yeux ouverts. Il n'avait jamais eu des pupilles aussi livides, les traits aussi tirés et, surtout, une voix si faible.

– À quoi tu penses ?

Il lui répondit, l'œil toujours vitreux :

– À tous mes rivaux qui révisent pendant que je me repose.

– C'est stupide d'en arriver là.

– C'est la médecine. Une fois que tu découvres la complexité du corps humain, tu comprends qu'il faudrait toute une vie pour te former à un rythme normal. Ça commence par des milliers de mots techniques en latin, des équations, et ça se termine avec un bistouri dans la main et la vie d'un inconnu sur la table. Si tu ne donnes pas tout ce que tu as, ça n'a pas de sens.

– Tu ne tiendras pas dix ans.

– Et toi, tu tiendras cinq ans ?

Julien pointait les bras recouverts de pansements de son amie. Les brûlures fraîches se rajoutaient aux anciennes dans des zébrures ridicules. Ses mains n'étaient pas dans un état plus glorieux ; le dégraissant super efficace de la plonge lui provoquait des saignements spontanés au niveau des articulations.

Quand elle regarda le résultat de sa maladresse, elle ne s'imaginait pas tenir plus de quelques semaines.

– Il faudra bien. Je reviens de chez mon père, il va sûrement pas tarder à me couper complètement les vivres. C'est tout ce qu'il sait faire après tout…

– Ce mec… Si je peux me permettre, c'est un sacré con.

– On était en train de sacrément s'engueuler, tu aurais adoré.

– Oh oui, dis-moi que tu l'as insulté.

– Presque.

Sa voix se mit à chevroter alors que ses yeux se remplissaient de larmes. Elle avait beau ne témoigner que peu de respect pour son père, ses mots blessaient.

– Un peu d'aide contre le coup de blues ?

Julien fourragea dans une boîte posée au pied de son lit à la recherche d'un sachet d'herbe, d'une feuille et de tabac. Pas de quoi alerter la brigade des stups mais largement assez pour deux.

Émilie repensait à cette fille qui, en amphi, avait sorti de son soutien-gorge une poche de la taille d'un poing pour se faire un joint. Elle l'avait fumé dès la fin du cours, devant la porte. Julien éclata de rire.

– Je payerais pour avoir la moitié de son culot, déclara-t-il en léchant les bords de la feuille pour la rouler.

– Il y a un moment où ça frise le ridicule.

Émilie s'allongea plus confortablement et remarqua alors un poster collé au plafond. Link, de la célèbre licence Zelda, qui brandissait son épée contre une menace invisible. Cadeau d'anniversaire de deux ans d'âge.

– C'est mignon, tu l'as encore !

– Ça m'aide à me lever le matin. Tu devrais faire pareil, ça te rappellerait que si je suis le Courage, toi tu es la Force. Tu es celle qui ne faiblit pas.

Connerie puérile. Émilie attrapa le joint que lui tendait son ami pour en tirer une bouffée. La sensation de brûlure lui arracha une quinte de toux. Sa gorge s'y habitua dès la deuxième inspiration et elle sentit la fumée glisser jusqu'à ses poumons où elle l'enferma quelques secondes avant de la relâcher, le plus lentement possible.

La Triforce. Relique symbolisant les trois déesses d'Hyrule et les trois qualités principales d'un guerrier. Courage, force et sagesse. Un délire d'ado qui venait de Julien et de son admiration sans limites pour le jeu. Émilie s'était beaucoup amusée à l'époque, à s'imaginer particulièrement forte. Aujourd'hui, elle saisissait à quel point l'illusion était stupide. Elle n'était qu'une brindille qu'un coup de pied avait déracinée et qui se retrouvait ballottée au gré des vents.

– Ça marche pas ta merde, je suis pas détendue d'un muscle.

– C'est pas possible, je plane complet.

– Mytho.

– La défonce c'est comme l'orgasme. Si t'es impatient, ça vient jamais.

Émilie reprit une longue bouffée. Il y avait un petit fourmillement dans le crâne, une légère détente, mais pas ce flottement si particulier, cette plénitude délicate qui invitait au laisser-aller.

– C'est peut-être ce qu'il te faudrait en fait. Un orgasme. T'en es où avec Hiro ?

– De quoi il se mêle celui-là… J'en suis nulle part.

– Quoi ? Et c'est moi le mytho ? T'as une asiat' avec un sourire à faire bander le pape qui, on sait pas pourquoi, est absolument à fond sur toi depuis des semaines et, toi, tu en es *nulle part*. Finalement t'as jeté ton étiquette pansexuelle ou comment ça se passe ?

– T'en mêles pas, insista-t-elle. Je suis pas prête, c'est tout.

– À quoi ?

– À tomber amoureuse. Avec Bastien il y avait cette petite voix qui me répétait « ce n'est pas le bon » alors qu'avec Hiro il y a… le silence. Aucune question, aucun doute, rien que l'envie d'être avec elle et la perspective de tout foutre en l'air.

Julien essaya un moment de faire des cercles avec la fumée. La pièce s'emplissait du parfum délicat du cannabis. Ils se connaissaient tous les deux depuis si longtemps qu'Émilie avait parfois l'impression de lire dans ses pensées. Là, à cet instant, elle sentit le poids de son jugement.

– J'ai vachement réfléchi à la notion de courage en ce moment, fit-il enfin. À ce que ça voulait dire, à la différence avec la folie. J'en ai conclu que c'est, par nature, lié à la faiblesse et non à la peur comme je le croyais. On est faible, donc on a peur, donc on a besoin de courage pour surmonter le handicap. Si tu n'as aucune faille, tu n'en as pas besoin. Et, sur le moment, c'est une conclusion qui m'a énervé parce que je ne voyais plus la différence entre force et courage. Puis j'ai pensé à toi et à tout ce que tu avais traversé. La force, c'est d'encaisser ce qui t'arrive dessus alors que le courage, c'est d'aller au-devant de la difficulté malgré la peur. La défense, l'attaque. La sagesse ce serait de savoir quand faire l'un ou l'autre.

Émilie sentit le flottement arriver et, avec lui, une douce somnolence. Link la fixait, avec son regard plein de détermination, comme s'il voyait venir sur lui tous les malheurs du monde et se préparait à les encaisser sans faiblir.

– Mais, toi, tu n'es pas faible. Tu te laisses juste paralyser par la peur d'être heureuse. Et si le courage sans force est fragile, la force sans courage est inutile. Tu es d'une lâcheté absolue, Émilie.

8

La pluie se mit à tomber alors qu'Émilie entrait dans un monde dont elle ne soupçonnait pas l'existence. Au détour d'une ruelle pavée, après quelques dizaines de mètres dans un sentier, se trouvait un bâtiment abandonné. À ce qu'on lui avait dit, l'université Paul Sabatier s'en était servi comme restaurant, à une époque. Aujourd'hui, il était dans un tel état de décrépitude qu'elle ne voyait même pas un junkie y dormir.

Les mauvaises herbes s'attaquaient au gravier du parking et s'immisçaient à l'intérieur, dans les fissures du sol. Les murs, d'un blanc laiteux à l'origine, offraient une fresque de tag allant de l'indémodable « nik la polic » jusqu'à des dessins sophistiqués, artistiques.

Le bruit de ses pas broyant des grains de poussière résonnait dans les pièces vides. Un courant d'air froid passa à travers les vitres brisées, emportant avec lui les feuilles de l'automne.

Émilie s'accrocha au bras de Hiro qui jubilait de la voir apeurée.

– T'as peur des fantômes ? chuchota-t-elle

Émilie tira la langue. De temps en temps, il y avait un matelas sale, des aiguilles ou des bouteilles explosées et des capotes usagées. C'était ce qui l'effrayait. Ouvrir une porte sur une bande de sans-abris endormies. La pauvreté lui faisait peur, car il n'y a que ceux ne possédant rien pour être capables de tout, surtout du pire.

Hiro l'entraîna vers le premier étage. L'escalier semblait préservé par le temps mais la rambarde, par contre, ne tenait que par miracle sur son socle rouillé. Émilie se sentit prise d'un vertige. Elle posa lentement le pied sur la première marche, puis la deuxième et ainsi de suite, avec la même prudence que sur un vieux pont en bois.

– Il n'y a pas de risques, fit Hiro. Je viens souvent ici, je connais les endroits dangereux.

– Il n'y a jamais de risques jusqu'au premier accident.

Le premier étage ressemblait beaucoup au rez-de-chaussée, à ceci près que les arbres alentour cachaient entièrement le reste de la ville. À quelques dizaines de mètres des habitations, Émilie eut soudain l'impression de se retrouver au milieu de nulle part, dans une bulle hors du temps et de l'espace. Elle prit son téléphone pour prendre quelques clichés en gardant en tête les conseils de son frère photographe. Hiro parcourait du bout des doigts les fissures contre les murs, plongée dans ses pensées.

– Et donc, fit Émilie pour briser le silence. Tu aimes l'urbex ?

– C'est mon petit jardin secret, on va dire. D'habitude je préfère y aller seule mais ça me fait plaisir aussi que tu sois là. Dans les anciennes cuisines se trouvaient encore les fours et les frigos. Un pan entier du mur était tombé, laissant la pluie mouiller une partie de la pièce. Hiro s'approcha du bord, indifférente à l'idée du danger. Émilie transpirait pour deux.

– C'est pas un peu bizarre comme jardin secret ? Demanda-t-elle.

– Probablement. Ici je me sens… inexistante et ça me rassure.

– Ah.

Émilie regarda autour d'elle, essayant de percevoir dans les murs à la peinture écaillée autre chose que l'impression angoissante d'être dans un monde post-apocalyptique. Hiro esquissa un sourire, s'allumant une cigarette.

– Y a pas si longtemps, cet endroit était utilisé par des gens et, maintenant que personne ne s'en occupe, il disparaît petit à petit. Dans quelques siècles, il n'en restera plus rien, pas même un souvenir. À la toute fin, il ne restera rien de moi non plus, ni de personne d'autre. Parfois, la vie m'angoisse. Il faudrait que je capitalise mon temps, que je rende mon quotidien le plus productif possible, puisque je n'ai qu'une seule chance de vivre. Sauf que, finalement, tout ce qu'on peut créer dans la vie pour chercher à compter, voire pour se rendre immortel, ne peut que finir dans l'oubli.

– C'est morbide.

Émilie toussa. Hiro venait de lui cracher sa fumée à la figure et reprenait comme si de rien n'était :

– Le temps gâché n'existe pas. La bonne manière de faire non plus. Il n'y a que ce dont j'ai besoin, dans le moment présent, même si c'est contraire à tous les conseils *healthy-start-up* nation qu'on peut entendre en ce moment.

Pour mettre une fin définitive à cette discussion, la japonaise entraîna Émilie vers le couloir principal. Elles traversèrent le restaurant en ruines selon un chemin bien précis, s'arrêtant devant une porte « défense d'entrer ». Le temps avait depuis longtemps détruit la serrure mais Hiro dut pousser de toutes ses forces pour ouvrir la porte. Le métal racla contre le ciment dans un bruit horrible, annonciateur de la pièce lugubre qu'elle cachait. Un petit cagibi avec un disjoncteur et un trait de lumière venant d'un trou dans le mur.

Hiro grimpa sur une caisse en bois et passa à travers le mur. Contre toute attente, Émilie la suivit avec plaisir. Elle commençait à prendre goût à cette petite aventure qui l'emmenait sur le toit. La pluie avait cessé d'hydrater l'herbe qui poussait sur le sol plat, les immeubles au loin dépassaient les arbres.

La japonaise continua sa route jusqu'à une bâche. Elle tira le plastique d'un coup sec, dévoilant un petit sac. Elle en sortit une couverture de survie qu'elle étala par terre, du pain, de l'houmous.

– Tu nous as préparé un pique-nique ? fit Émilie
– En tout cas ça y ressemble.

La jeune blonde prit place sur le jaune flashy de la couverture.

– Est-ce que c'est un rendez-vous ?

Hiro ne se laissa pas surprendre par la question. Elle attrapa deux bières au fond du sac, en ouvrit une avec son briquet et la tendit à Émilie.

– Comme tu veux. Avant que tu décides, il y a quelque chose que j'aimerais que tu saches. Ça fait longtemps que je devrais t'en avoir parlé mais ce n'était jamais le bon moment.

Hiro se mordilla l'ongle du pouce d'un air pensif.

– Je ne suis pas étudiante, reprit-elle. Quand on s'est rencontrées et que tu m'as posé la question, je ne voyais pas comment justifier ma présence à l'université sans entrer dans les détails de ma vie privée. Et puis tu m'as lancé ce regard plein d'admiration, c'était difficile de revenir dessus au détour de la conversation. J'ai essayé de te le dire, souvent, mais plus le temps passait et moins j'y arrivais.

Émilie ne savait pas si elle devait être en colère ou compréhensive. Le choc de la nouvelle était trop grand pour formuler la moindre pensée rationnelle. Ce n'était pas le contenu en lui-même qui la dérangeait mais cette vérité stupide que son cerveau naïf refusait de croire ; Hiro pouvait mentir. Elle était du genre à jeter de la poudre aux yeux à une fille de 17 ans, après l'avoir vu en sous-vêtements dans une fontaine.

– Tu as fini tes études ?

– Je ne les ai pas commencées. Il est possible que j'aie fait une petite connerie à 16 ans, du genre m'enfuir de chez moi.

Elle attrapa une des dernières cigarettes du paquet et laissa

Hiro en allumer le bout avec son briquet. C'était dégueulasse mais il lui fallait au moins ça pour accuser le coup. De toute façon, plus personne n'allait l'engueuler si elle fumait. L'étudiante se mit à rire jaune en pensant à une sombre évidence.

– Je ne t'aurais jamais parlé si tu t'étais présentée comme ça. Alors que, finalement, t'es juste barmaid de métier, ça change pas grand-chose, non ?

– J'étais barmaid pour un petit contrat d'été. Avant je vendais des sandwichs à Subway, en ce moment je distribue le Direct Matin à Basso Cambo. Sans garants ni CDI potable, je ne peux pas louer d'appartement. Je dors sur le canapé de Baptiste, le temps de me refaire une santé financière. Pathétique, n'est-ce pas ?

Émilie glissa ses doigts dans la main de Hiro. À quelques détails près, tout ce qu'elle lui racontait s'imbriquait parfaitement dans le puzzle qui la composait.

– Qu'est-ce qu'il s'est passé, à tes 16 ans ?

– L'adolescence. Ma mère est imprésario, elle passe ses journées et ses nuits à suivre ses groupes en tournée pour surveiller leur image. Mon père est interprète dans des conférences, il aime négocier des contrats courts avec des universités pour rester en mouvement alors, on déménageait tout le temps. À peine je commençais à m'habituer au lieu qu'il fallait repartir pour un nouveau pays, avec sa langue et sa culture. J'étais partout l'étudiante étrangère qui n'est là qu'un trimestre tous les deux ans. C'est devenu ingérable avec les premières relations amoureuses.

Hiro retourna son paquet de clopes. Vide. Un soupire extrê-
mement long fila entre ses lèvres.

– Enfin bref, reprit-elle. Je me suis mis en tête de leur faire
du chantage. S'ils me promettaient qu'on ne partirait plus, je
rentrerais dans le rang. C'est fou ce qu'on est imaginatif à
16 ans pour faire des conneries, surtout quand on est pressé.
J'ai abandonné le lycée, j'ai commencé à dealer, voler en
magasin, j'ai caillassé un flic parce qu'il voulait pas m'arrêter,
ce genre de stupidités. Évidemment, mon comportement a
juste convaincu mon père que je ne méritais aucune faveur.
Comme s'il allait plier devant les caprices d'une gamine. Sauf
qu'on a ça en commun tous les deux : un sale caractère buté.
Je te passe les détails mais ça a fini sur moi en train de lui
faire un doigt d'honneur et mon père qui court sur le quai de la
gare pour rattraper le TGV.

Sa voix ne flancha qu'à la dernière phrase. Hiro se gratta le
coin de l'œil légèrement humide.

– Après, reprit-elle d'une voix calme, me fait pas dire ce que
j'ai pas dit. Je regrette pas ma vie de bohème malgré des
moments difficiles. Tant que tu es avec les bonnes personnes,
tu te satisfais de tout. J'ai vite arrêté les bêtises et j'enchaîne
juste les boulots sans qualifications avec un don inné pour me
faire virer.

– Tu n'as jamais voulu rentrer chez toi ?

– Si, bien sûr. Je suis revenue au bout de quelques semaines,
la queue entre les jambes, mais ils étaient partis. Alors j'ai
assumé.

Émilie trouva cette dernière phrase encore plus dure que les précédentes. Elle écrasa sa cigarette dans l'herbe, prit le paquet vide pour y ranger le mégot, en attendant de trouver une poubelle. L'indignation lui brûlait la gorge.

– Quel putain de héros, dit-elle. Tu me racontes ça mais, ce que tu es aujourd'hui... Ma mère était éducatrice spécialisée, des enfants avec ton parcours j'en ai rencontrés. Des adultes comme toi, par contre...

Du bout de l'index Émilie parcourait les traits de son visage, ses pommettes, le contour de ses lèvres avant de glisser sa main contre sa nuque.

– Ne dis jamais que tu es pathétique.

Émilie aurait pu découvrir une vie de prostituée accro à l'héroïne sans remettre en question les raisons de sa venue. Parce qu'elle avait besoin de sa présence, de son rire, de sa maturité et qu'elle le ressentait plus vivement que son besoin vital de respirer.

Son cœur se mit à battre plus fort. Les derniers restes de doute s'échappèrent.

Elle approcha doucement son visage. Hiro exhalait une odeur de tabac à laquelle Émilie était habituée, contrairement au goût sucré de sa bouche. La douceur de ses lèvres appelait à y revenir, encore et encore, probablement indéfiniment si la pluie ne s'était remise à tomber.

9

Les cours en amphi se transformaient semaine après semaine en cauchemar. L'enseignant, point fixe à l'autre bout de la salle, baragouinait dans son micro d'une voix monotone, lasse. Il ne cherchait pas à savoir s'il était compris, il n'invitait pas à ce qu'on lui pose de questions et personne ne le faisait.

Il parlait pendant deux heures, les élèves notaient. De retour chez elle, Émilie se rendait compte qu'elle ne comprenait rien à ce qu'elle écrivait.

Si ce n'était que ça. Le fond de l'amphithéâtre se remplissait petit à petit de murmures, de plus en plus forts. Des élèves discutaient comme dans un salon de thé, au sujet d'une soirée et leurs anecdotes parasitaient celle de l'enseignant. Émilie fronça les sourcils pour essayer de suivre. Le cours parlait des... explications sociales à des phénomènes culturels ? La sociologie s'étudiait en fonction du lieu géographique et de l'histoire d'un peuple. Si tu veux baiser il faut aller au Connexion, y a toutes les chaudes de la ch…

Émilie se boucha l'oreille droite pour essayer de revenir sur le cours. Si seulement elle était arrivée plus tôt, elle se serait assise dans les premiers rangs. Mais ce matin-là, faible d'esprit qu'elle était, l'étudiante avait préféré dormir cinq minutes de plus. Cinq minutes à somnoler pour deux heures catastrophiques.

– C'est pour cette raison que la baguette n'a jamais eu de succès outre-Atlantique, continua l'enseignant. Nos amis les Américains ont préféré le sein du burger plutôt que l'attribut viril de notre longue et fine baguette.

Le groupe qui bavardait éclata doucement de rire. Émilie, elle, posa son stylo et sortit son téléphone. Puisque même le prof commençait à dire n'importe quoi, elle n'allait pas perdre plus de temps à l'écouter.

Elle envoya d'abord un SMS à Charlotte pour prendre de ses nouvelles. Puisqu'elle ne répondait pas, l'étudiante se rabattit sur Baptiste. Rien. Son pouce fit défiler les contacts à la recherche de quelqu'un qui partagerait son ennui, un vendredi à 9 h 47. Il s'arrêta sur Hiro et, immédiatement, ses joues s'empourprèrent.

Le dernier message reçu de sa part lui souhaitait bonne nuit, à l'heure où les boulangers sortaient du lit.

« Je pense à toi », envoya Émilie.

« Moi aussi <3 »

« Déjà réveillée ? :o »

« Obligée, sinon je serai jamais prête pour manger avec toi à 11 h et t'accompagner au travail après :x »

Émilie dut poser le téléphone un instant, le temps que la vague de chaleur qui traversait son corps se calme un peu. Elles ne s'étaient pas revues depuis leur premier baiser, des jours plus tôt. Ou, en ressenti, des années en arrière. L'idée de la voir juste après lui donna la force de marcher jusqu'à son prochain cours sans bifurquer vers le métro.

C'était un TD. Travaux dirigés, les fameux cours suspendus pendant la grève. Émilie ne savait pas si le département avait obtenu des fonds ou si la théorie de Benjamin était juste mais, dans tous les cas, ils n'étaient qu'une poignée installés dans une salle presque vide. Contrairement aux cours en amphi, il n'y avait aucune feuille de présence à remplir et les effectifs dépendaient beaucoup de la météo.

Ces cours étaient à la fois les pires et les meilleurs. Dans cette ambiance plus intimiste, les étudiants pouvaient enfin poser des questions et toutes les langues se déliaient d'un coup. Il fallait l'esprit vif pour suivre ce qui se déroulait, quitte à ne noter qu'une phrase ou deux dans l'heure. Pour l'aider, Baptiste lui apprenait à sélectionner l'information. Juste les mots-clés, les phrases chocs, les problématiques. Le rythme était intense, pour rattraper le retard des grèves. Elle sortait parfois du cours essoufflée, saluant comme un robot les quelques personnes avec qui elle discutait dans sa promo.

Ses pas la dirigeaient jusqu'au foyer de Lettres, un endroit tranquille avec des canapés. Hiro l'y attendait, aussi à l'aise que si elle était chez elle. Peu importe la situation, la japonaise semblait connaître tout le monde depuis une éternité. Un poisson dans l'eau, frais et souriant.

Hiro l'accueillit d'un baiser timide et lui proposa des nouilles sautées et du thé à 40 centimes. De tous les rendez-vous amoureux de sa courte vie, celui-ci était le plus sobre. Mais, loin de lui déplaire, elle trouvait rassurant de pouvoir manger pour presque rien et, surtout, de se satisfaire d'avoir Hiro comme ça. Simple, naturelle. Comme si elles étaient en couple depuis des mois et n'avaient plus rien à se prouver.

Ce moment passé ensemble la suivit tout le reste de la journée, alors qu'elle retournait dans l'enfer de la restauration. Cette fois, elle était de lobby. Le nettoyage de la salle. Il n'y avait rien de surprenant à ce que les gens salissent en mangeant. Par contre, quand une cliente la regardait droit dans les yeux et jetait volontairement des frites par terre… Là, des pulsions sombres envahissaient son esprit. Quand elle rentrait dans les toilettes pour voir un père apprendre à son fils l'importance de bien se laver les mains et qu'elle découvrait ensuite lesdites toilettes couvertes d'urine. Là, ce n'était plus normal.

La cuisine lui apprenait à haïr ses collègues. Le lobby lui apprenait à exécrer le reste de l'humanité.

Heureusement, le rythme soutenu finissait par détruire ses pensées. Il ne restait que la liste des tâches à effectuer, les mêmes, en boucle. Les vitres, les serviettes, les pailles, les tables, les toilettes, les poubelles. La salle dédiée au stockage des ordures se remplissait toute la soirée, jusqu'à former un tas plus grand qu'elle. C'était sa dernière tâche. Après une journée à essayer de maintenir dans un état de propreté relatif le restaurant et après avoir nettoyé toutes les surfaces une dernière fois, elle devait sortir les poubelles.

Si seulement les choses pouvaient être si simples à McDonald's. Même une tâche aussi basique devenait une corvée, peut-être même la pire.

Sous ce tas de plastiques noirs se trouvaient trois poubelles. La montagne de sacs devait y rentrer. Par quel miracle de la science devait-elle y arriver ? Le compactage.

Elle devait remplir un conteneur, l'emmener jusqu'à une pièce à part et y compacter les déchets jusqu'à tout faire rentrer. La presse descendait doucement avec un bruit mécanique. Le plastique noir gonflait sous la pression et, parfois, se perçait dans un bruit sourd.

BvvvvvvvPAF......vvvvvvvv

Émilie recula la poubelle, rajouta quelques sacs et la replaça sous la presse.

La pièce sentait les ordures, ce qu'elle faisait lui semblait stupide mais, au fond, elle aimait ce moment. Le calme, la fraîcheur, la solitude, l'attente. Chaque sac compacté avait un air de fin de service. Quand elle fermait les yeux, Émilie pensait à son lit et, aussi, à la montagne de devoirs qui l'attendrait demain. Elle devrait aller à la bibliothèque, chez elle c'était trop compliqué.

BAM !

Émilie resta un moment interdite, comme si ce qu'elle sentait couler sur son visage allait disparaître, à force de l'ignorer. Du jus. Du jus de coca aux restes de burger. La poubelle qui venait d'exploser contenait plus de liquide que de solide. C'est pourtant marqué, un peu partout dans le restaurant. Les liquides à part, les restes à part, le papier à part. Le coca ne va pas à la poubelle. Émilie sentit une larme se mélanger au jus de fast-food. Elle ouvrit les yeux. Deux murs étaient recouverts d'un jus rose. Pourquoi rose ? Aucune idée, peut-être un peu de glace à la fraise au milieu. À deux sacs poubelles de la fin de son service, elle extirpa du fond de la pièce un vieux Karsher, débrancha la presse et donna un coup sur les murs, sur la poubelle avant de s'inonder entièrement. Ses bras tremblaient quand elle enroula le fil électrique. De fatigue, de nerfs, comme d'habitude d'un peu de tout.

Plus que deux sacs. Juste. Deux. Sacs. Émilie était trop petite pour atteindre le fond de la poubelle. Elle plongeait tête la première, parfois jusqu'à ce que ses deux pieds quittent le sol et, en jouant des abdos, remontait jusqu'à la surface. Un jour elle allait tomber pour de vrai, rester coincée et appeler le vigile pour la sortir de là. Dire qu'au centre-ville, on lui avait dit que les conteneurs sortaient du sol et que toutes ces histoires de compactage n'existaient pas.

Le lendemain elle devrait revenir et le reste de son week-end servirait à rattraper son retard à l'université.

Milieu novembre, elle n'en pouvait déjà plus.

Après ce service infâme, il n'y avait qu'un seul endroit où Émilie voulait se réfugier.

Émilie toqua du bout des ongles. Hiro n'avait répondu à aucun de ses messages mais la lumière de l'appartement filtrait sous la porte. Puisque personne ne répondait, elle frappa plus fort, sans oser y aller franchement, de peur de réveiller tout l'immeuble. Enfin, n'obtenant aucune réponse, elle entra à pas de loup.

Directement à sa gauche se trouvaient le salon et le canapé où sa petite-amie devait dormir. Au lieu de l'y voir, elle fit face à Baptiste, affalé dans un plaid, la tête reposant contre un accoudoir. Sur ses genoux, son ordinateur portable encore ouvert affichait un document Excel rempli de chiffres et de tableaux. À première vue, le bilan comptable de son association. Émilie déplaça le précieux HP sur la table basse, entre deux paquets de chips entamés. Son pied se posa dans un *sploch* étrange.

Il y avait une flaque par terre et, juste au-dessus, la bouteille de vodka que le colosse tenait à peine dans sa main. Après un service au fast-food elle perdait l'odorat mais l'appartement devait empester. La bouteille vide rejoignit la poubelle de recyclage dans la cuisine.

À son retour, Baptiste s'était relevé et la fixait, le regard absent.

– Je venais voir Hiro, se justifia-t-elle.

– Elle est dans ma chambre. Quand je me couche tard ou que je m'endors sur le canapé, on s'organise comme ça.

Émilie se pinça les lèvres. Elle pouvait tenter de la réveiller, il n'était pas si tard. Non, très impoli. Et, en même temps, se coucher à ses côtés, profiter de sa chaleur, de sa peau et de son odeur comme réconfort... Pas dans les draps de Baptiste.

– À ce stade, reprit-il, autant l'attendre. Hiro dort très peu et à 23 h elle était au lit donc d'ici... Allez, trois heures, elle est debout. T'as qu'à prendre ta douche, la salle de bain est super bien isolée.

– Laisse, je vais plutôt rentrer chez moi. Tu devrais dormir aussi.

– Je suis parfaitement réveillé.

Baptiste se frottait les yeux comme un bébé qui lutte contre la sieste. Il se massa le visage et soupira longuement.

– T'as pas l'air bien, reprit-il. Je suis là quand mes amis sont dans le mal.

Au fond de sa poitrine, un petit morceau se mit à fondre. Émilie prit place sur le canapé, l'épaule contre celle massive du rouquin. Avant que le premier mot n'ait franchi sa bouche, les larmes commençaient à lui monter aux yeux et son propre désespoir la submergea.

Par où commencer ? Ce boulot minable qu'elle détestait au plus haut point, cette licence dont elle n'arrivait pas à attraper le train en marche, le blues diffus d'un changement de vie, la perte de contrôle, l'absence de ses amis de lycée. Tout se mélangeait dans sa tête dans une bouillie infâme.

– J'ai l'impression d'être face à une hydre à mille têtes avec comme seule arme un couteau à beurre.

Baptiste hocha la tête d'un air entendu. Malgré ses efforts, son regard vitreux ne transmettait aucun signe de vie. Émilie posa une main sur son genou pour capter son attention.

– Et toi ? Qu'est-ce qui t'est arrivé ?

Le colosse haussa les épaules, un rot au bord des lèvres et, peut-être, le vomi qui allait avec.

– Pareil. Pareil. Je cherche du boulot. Mcdo c'était pour les études, j'ai terminé et… rien. Depuis plus d'un an. La filière psycho c'est juste pour… je sais pas… ne pas abandonner.

– Tu regrettes de pas avoir fait une licence avec des débouchés ?

Qu'elle le veuille ou non, le martelage de crâne de son père restait quelque part dans ses pensées, de plus en plus intrusif à mesure que le temps passait. Cette petite voix lui rappelait en permanence que, si Pascal avait à moitié raison, Mcdo pouvait devenir sa carrière.

– Non, répondit le colosse.

Baptiste se redressa mollement, traversa d'un pas lourd son salon jusqu'à la cuisine, revint avec du Ricard et deux verres. Il les remplit sans sommation.

– Moi j'ai peur de regretter, lança Émilie après un silence. Avant d'arriver ici je me croyais intelligente et forte, capable de tout affronter. Alors que, finalement...

– Qu'est-ce que tu fais en psycho ?

Émilie renifla avec dégoût l'anis de son verre. Par flemme d'aller se chercher autre chose, elle descendit son verre et grimaça. Il fallait au moins ça pour en parler.

– Ma mère était éducatrice spécialisée. Elle adorait son boulot, vraiment. Un jour, j'avais treize ans, un des lycéens dont elle s'occupait a trouvé son adresse. Il est venu un dimanche après-midi, complètement fou de rage. Ma mère essayait de le calmer mais il a tout cassé. La télé, les meubles. C'était une bête sauvage et, dans son regard... Il ne maîtrisait rien du tout. Il était aussi surpris que nous par ce qu'il se passait. Émilie se souvenait encore parfaitement de son visage cramoisi et de la bave qui coulait sur son menton. Il poussait des cris d'animaux, de fou. Seuls ses yeux témoignaient de la détresse qui l'habitait. Elle reprit :

– On vit dans une société qui a dépensé tellement d'argent pour comprendre l'être humain et tout ce savoir est utilisé dans la pub ou le marketing. L'épanouissement, la paix intérieure, c'est comme si on s'en foutait en tant que société. Il y a bien des initiatives et des courants de pensée mais ils sont pour toi et moi. Les gens vraiment dans le besoin, avec des troubles sévères ou mal compris sont laissés de côté. Au delà des maladies mentales, il y a tellement de gens emprisonnés en eux-mêmes. Ils méritent de l'aide pour reprendre le contrôle. Je pense que, si la société allait dans ce sens, on serait tous plus heureux.

– C'est une très bonne raison de te battre pour y arriver, je trouve. Sarah a un peu ta manière de voir les choses d'ailleurs. Il faut au moins ça pour choisir le chemin le plus difficile.

– Non mais, Sarah...

Émilie peinait à cacher son animosité et refusait catégoriquement d'avoir le moindre point commun avec elle.

– Tu l'aimerais avec le temps. Elle est comme Boris Vian. Au début elle déconcerte, elle trouble d'une manière difficile à décrire et puis, avec le temps, elle dévoile une petite pépite en or. Sarah est unique, brillante à sa façon.

Baptiste était amoureux d'elle. La jeune blonde le soupçonnait depuis longtemps mais ce petit sourire timide qui étirait les lèvres de son ami ne laissait pas la place au doute. La cohabitation, sachant que Sarah faisait venir son copain tous les deux jours, ne devait vraiment pas être de tout repos. C'était peut-être la raison de sa présence sur le canapé. Après tout, sa chambre partageait un mur avec la sienne et, depuis son lit, il devait sentir les vibrations. A minima.

– Baptiste, hésita Émilie. Tu ne penses pas que certaines choses méritent qu'on... laisse tomber ? Abandonner ce n'est pas forcément perdre.

Le colosse parut ne pas comprendre le sous-entendu. Il siffla son verre et reprit, plus confus que jamais.

– Abandonner, ça se perd avec l'âge. Comme essayer, d'ailleurs.

Baptiste se releva, chancelant. Il sortit de sa bibliothèque une chemise cartonnée usée, presque en lambeaux et la posa sur la table basse. À l'intérieur, la centaine de feuilles volantes portaient le sobre titre de « Projet librairie Jazzy ».

– Ça doit faire cinq ans que je réfléchis là-dessus, expliqua Baptiste. Jazzy c'est plus pour l'idée philosophique qu'une ambition musicale. J'ai en tête une espèce de café philo qui vendrait des livres autopubliés, quelque chose à taille humaine de très local. Aujourd'hui la littérature est devenue une activité solitaire mais, avant, elle était de tradition orale et beaucoup plus interactive.

Émilie tourna les pages pendant que son ami parlait. Il y avait des listes d'idées, des schémas, beaucoup de ratures. Baptiste pointa une des feuilles dont le dessin, à force d'annotations, était incompréhensible.

– Là, par exemple, j'avais pensé à une scène au centre. Les gens seraient sur des coussins par terre, tout autour, et il pourrait y avoir des lectures publiques. Mais quelque part j'ai encore eu une autre idée qui ressemble plus à une table ronde, comme ça tout le monde est à égalité. Je voudrais un résultat à la fois inspirant et confortable. Voire, même, un retour en enfance. Il y aurait sûrement des soirées thématiques et, à la fin, on définirait une petite phrase à écrire sur un des murs. Puis, ensuite…

Le projet de Baptiste voletait derrière les yeux d'Émilie comme un rêve. Il décrivait sans s'arrêter un monde de tous les possibles où la décoration ne cessait de changer, où les idées prenaient vie dès qu'elles étaient pensées et où les gens, dans un idéalisme naïf, s'écoutaient avec attention.

Cette libraire donnait envie alors même qu'Émilie ne ressentait pas la vibration créatrice qui animait les artistes. Elle se visualisait dans un coin, légèrement en retrait, prendre des notes sur ces vérités brutes, à la recherche des mots qui décrivent l'ineffable et, peut-être, des mots qui soignent ce qu'un bistouri ne peut atteindre.

Rêver sa vie. L'activité préférée des jeunes, d'après sa mère. Quand elle lui disait ça, elle continuait toujours sur la même citation : un problème a une solution, sinon il n'y a pas de problème.

– Tu devrais le faire, dit Émilie. Ce n'est pas facile mais si c'est vraiment ça qui te plaît il faut que tu en fasses ta priorité.

– Quand même pas, marmonna-t-il.

Baptiste referma la chemise et en caressa doucement le titre.

– Pars de Mcdo, dit-il. La restauration rapide ne convient pas à tout le monde, il y a plein d'autres jobs qu'un étudiant peut faire.

Émilie soupira lentement. Les larmes revenaient. Cette fois-ci elle les arrêta ; elle devait assumer cette pensée.

– Je ne pense pas être assez intelligente pour travailler pendant mes études. Certains y arrivent, pas moi. Le problème c'est qu'après notre dernière dispute mon père m'a coupé les ponts. Presque. Il me laisse 50 euros une fois les charges payées, sans compter la nourriture.

– Tu sais que tu serais en droit de le traîner au tribunal, n'est-ce pas ?

Émilie leva les yeux au plafond.

– Il reste mon père. Il serait plus raisonnable de vendre la maison. Après la mort de ma mère, je voulais la garder pour y vivre plus tard. Mon frère est d'accord avec ça, il m'a aidé à tenir tête à notre père. Elle l'aimait tellement cette maison, elle l'a en partie construite de ses propres mains. C'était son héritage et je vais devoir m'en séparer.

Baptiste posa une main réconfortante sur son épaule.

– Si seulement je pouvais avoir la certitude que je ne fais pas ça pour rien...

– Moi, j'en suis sûr.

10

Baptiste lui prêta sa 306 rouge pour quelques jours, le temps qu'Émilie fasse le tri dans sa maison d'enfance avant de la mettre en vente. Cette décision, douloureuse à prendre, n'était supportable que grâce au soutien de tous ses proches. Hiro partait avec elle, Julien l'attendait déjà là-bas, son frère devait rentrer dans les jours à venir. Seule Charlotte n'avait pas répondu à l'appel, une histoire de dégâts des eaux dans son appartement.

Sur l'autoroute, le paysage défilait à vive allure, lui laissant à peine le temps d'apercevoir une ferme abandonnée ou un arbre un peu glorieux. Émilie n'aimait pas conduire, surtout pour avaler du kilomètre en ligne droite, mais elle devait profiter de chaque occasion pour remplir son carnet de conduite accompagnée, si elle voulait passer le permis un jour.

À sa droite, la japonaise fredonnait les paroles que le CD crachait depuis leur départ. Depeche Mode. Un classique difficile à détester mais qui lassait la conductrice. Malheureusement pour elle, la vieille voiture ne captait plus aucune fréquence radio.

– Tu peux regarder ce qu'il y a d'autre ? demanda-t-elle.

Hiro en trouva sous les sièges, entre deux moutons de poussière et des emballages de bonbons. Évanescence, une compilation des années 2000 et Emmanuel Moire.

– Rien, déclara-t-elle.

– Tu peux mettre Moire, c'est pas mal.

Hiro rangea les albums en ricanant. S'il existait une ligue équivalente au *grammar nazi* pour la musique, elle devait probablement en faire partie.

– C'est quoi ton groupe préféré en fait ? fit Émilie.

– Je te le dirai pas. Si t'es pas d'accord, je serai obligée de te quitter et ça rendra le séjour super gênant.

– Ok, je devine… T'es plutôt rock vintage, métal soft donc… Queen !

– Tout le monde aime Queen.

– Oh, non, je sais ! Tu chantes ce truc sous la douche, on dirait un chat qui miaule. Miaaaamia meeeeemoriiiiies.

– Starlight ? Muse ! Oh, mon Dieu, elle a osé.

Hiro posa ses mains sur son visage d'un geste théâtral avant de simuler une mort cérébrale. Émilie éclata de rire.

La voiture sortit de l'autoroute. Elle profita du péage pour s'arrêter sur le parking et réclamer un baiser en guise de paix. Hiro refusa, les bras croisés, pour mieux se faire prier. Émilie tenta une moue triste, un chouinement et, enfin, sa petite amie céda. Ses lèvres avaient le goût du pardon sincère, sa langue de pastille à la menthe.

Un bruit sourd sur le parechoc les fit sursauter. Un homme passait devant la voiture en les fixant, avec des lunettes de soleil, un grand sourire et deux pouces vers le ciel. Il continuait sa route vers les toilettes comme si de rien n'était et ne laissa derrière lui qu'un peu de perplexité.

– Est-ce qu'il vient vraiment de nous féliciter ?

– Ça arrive, se contenta de dire Hiro en s'allumant une cigarette.

Émilie haussa les épaules, redémarra et perdit la voiture dans les routes secondaires du département. Le GPS braillait toutes les dix secondes de nouvelles indications que la conductrice suivait rarement, trop occupée à emmener Hiro voir tous les coins sympas en chemin. Contre toute attente, la citadine trouvait beaucoup de charme à ces petits patelins perdus au milieu de nulle part.

Enfin, la route laissa la place à un chemin de terre ; sa maison d'enfance. Émilie gara la voiture et traversa la pelouse vallonnée avec un sentiment bizarre dans la poitrine. Une vive nostalgie et l'impression d'être une étrangère.

Près de l'entrée, un visage familier lui souriait à pleines dents. Émilie prit Julien dans ses bras.

– Merci d'être venu, murmura-t-elle à l'attention de son meilleur ami.

– Toujours. Tu es prête ?

Émilie hocha doucement la tête. C'était la première fois qu'elle revenait depuis son déménagement.

Le salon n'avait pas bougé depuis son départ. Le même canapé beige, le même fauteuil crème, la table basse en verre et, tout autour du petit coin cosy, des arbres en pot si nombreux qu'ils donnaient au salon un air de jungle sauvage. La majeure partie d'entre eux lui appartenait. Émilie observa un moment leur état et essaya de jauger leur croissance, incapable de se rappeler pourquoi elle n'en avait pas emmené un seul à Toulouse, pas même l'érable japonais qui ne prenait pas trop de place.

– Papa continue de passer tous les jours, commenta Julien. Il m'a chargé de te dire qu'un truc attendait dans la cuisine.

Émilie alla voir, suivie de près par une Hiro plus silencieuse que d'habitude. Ses yeux bridés analysaient tous les détails de la maison avec attention. Julien se chargea de commenter la visite, la voix lourde de ses souvenirs.

– Sa mère était toujours d'accord pour que je traîne à la maison et quand mes parents venaient me chercher, tard dans la soirée, elle les invitait à manger. Personne ne pouvait détester Aurore, elle savait trop bien nous mettre à l'aise. Ici, c'était le seul endroit au monde où rien de mal ne pouvait arriver, à mes yeux. D'ailleurs, je pense que je n'y ai que des souvenirs positifs. On allait s'engueuler dehors, tu te souviens ?

Émilie murmura un grognement. Sur la table de la cuisine, le père de Julien avait déposé des photos qu'il avait lui-même prises, des années plus tôt. Il y en avait beaucoup de son fils, bien sûr, mais aussi de sa mère et d'elle-même. Émilie se remémora des journées simples, légères, d'un autre temps. D'une autre vie.

– Ce sera le refuge de quelqu'un d'autre maintenant. C'est ce qu'elle aurait voulu.

Hiro attrapa timidement sa main alors que l'étudiante sentait venir les premières larmes. Il était temps de refermer cette page pour de bon.

– Je vais m'occuper de sa chambre. Le plus dur d'abord.

– Qu'est-ce que tu veux qu'on fasse ? fit Hiro.

– Le salon. Tout est à jeter ou à donner. Les plantes, les livres, les meubles. Ou pas, on peut vendre la maison meublée, je suppose. Thomas m'a dit qu'il ne voulait rien garder, il a vidé sa chambre dans l'été.

L'escalier couina sous les pas d'Émilie, pressée de s'éloigner de la société. Julien sortit du garage des cartons vides et se prépara à les remplir. Même pour Hiro l'entreprise était chargée en émotion. Elle n'avait aucun souvenir attaché à ce lieu et ne percevait pas la chaleur d'un foyer dans cette vieille maison de campagne, par contre, elle s'imaginait l'horrible été qu'Émilie avait passé. Son père absent, son frère exilé pour son travail, ses meilleurs amis en Espagne. Pas étonnant qu'elle se soit séparée de son gamin de petit-ami, il devait faire de la peine à essayer de porter tout seul le poids de son deuil.

Hiro emprunta le téléphone de Julien, lança Spotify à fond. De la musique pour arrêter de ruminer, à défaut de réussir à s'amuser dans un tel contexte. L'étudiant en médecine prit le temps de ranger les livres par genre et de les photographier pour leboncoin.

– Tu vas avoir le temps de les vendre ? demanda Hiro. J'aimerais sortir Émilie de là le plus tôt possible et tu as sûrement beaucoup de travail de ton côté.

– Je vais en trouver, déclara-t-il, vexé.

La japonaise s'arrêta, ne sachant pas par quoi commencer. Elle qui n'avait jamais possédé plus d'un seul carton, voir tous ces bibelots, dvd, peintures lui donnait le tournis. Julien sortit de la poche arrière de son jean une liste répertoriant très exactement ce qu'ils devaient faire et même le temps que cela devait prendre.

– Tu es un ami exceptionnel, tu sais ? Merci d'être là.

Contre toute attente, l'annonce attira du monde. La rumeur avait dû se répandre dans le village avant même qu'ils n'arrivent. Des gens passaient récupérer des cartons en échange d'un billet, non sans y ajouter un mot gentil ou un geste amical.

L'un d'eux se démarquait des autres par son âge. Un blondinet tout juste adulte, un peu trop propre sur lui dans son costume sur mesure. Il passa la porte aux aguets, comme s'il risquait de se faire mordre. Hiro comprit tout de suite qui elle avait en face, il était sur certaines photos, les plus récentes. Bastien.

Julien lui serra la main, les lèvres pincées.

– Je t'ai laissé un carton à part. Je pense qu'il y a des affaires à toi dedans.

– Elles n'ont pas dû me manquer. Tu lui diras qu'elle peut venir les récupérer, si elle regrette.

Bastien resta un moment planté au milieu du salon, son carton dans les bras. Il remarqua la présence de Hiro, pencha la tête en avant et soupira.

– Finalement, reprit-il. Ne lui dis rien. C'est mieux comme ça. Elle a l'air tellement épanouie sur Instagram. Quel plaisir de la revoir sourire.

– Tu veux rester nous aider ? proposa Julien. D'ailleurs je te présente Hiro c'est la... le...

– Non ! Surtout pas. Je ne veux pas savoir. Je devrais plutôt m'en aller. Bon courage et, peut-être, à bientôt. Dans un autre contexte.

Bastien parti, Hiro leva les yeux, comme si elle allait voir à travers le plafond comment Émilie se sentait.

– Je devrais aller la chercher.

– Elle a besoin d'être seule.

– C'est ce qu'elle aime chez moi ; je la laisse pas tranquille.

– Viens pas te plaindre si elle t'engueule.

Émilie devait se trouver dans la chambre du fond, celle de sa mère. Hiro hésita un instant, la main sur la poignée. Peu importe dans quel état elle allait la trouver, elle devrait garder sa contenance, se montrer un peu adulte.

Assise sur le lit, entourée de croquis, le regard d'Émilie se perdait dans des pensées si profondes qu'elle semblait en oublier de cligner des yeux. Son corps entier se tenait aussi immobile qu'une statue. Hiro frissonna. Elle s'attendait presque à la trouver froide et rigide au toucher mais sa peau restait aussi chaude et douce que d'habitude. Émilie tourna la tête et reprit vie.

– Coucou toi, sourit-elle.

Hiro se pencha pour l'embrasser et, confortablement installée à côté d'elle, jeta un œil aux dessins. Essentiellement des représentations du Canal du Midi, avec beaucoup de talent dans les reflets de l'eau. Elle venait donc de là, cette manie d'aller courir sur les berges.

– À quoi tu penses ? demanda Hiro alors qu'Émilie se figeait de nouveau, un dessin dans les mains.

– À toi. Je me demande comment ma mère t'aurait trouvée.

– Elle serait immédiatement tombée sous mon charme. Je suis la perfection incarnée.

Émilie lui adressa un petit rire contenu, rassembla les dessins en une pile et se lova contre elle, la tête dans son cou.

– J'aurais pas pu revenir sans toi, tu sais ?

– Mais si, ton sens de l'orientation est pas si mauvais que ça.

Émilie s'offusqua ou, tout du moins, le mima parfaitement le temps d'attraper un coussin pour l'aplatir sur le visage de Hiro. Elle n'essaya pas d'esquiver, s'attaquant plutôt directement à son point faible : les chatouilles. Les larmes lui montèrent aux yeux à force de rire mais Émilie réussit à reprendre le dessus sans effort, à califourchon sur son bassin. Elle attrapa les poignets de la japonaise et les plaqua contre le matelas.

Hiro résista pour la forme, son esprit dans un tout autre rapport que l'innocence d'un jeu d'enfant. L'accélération de sa respiration se chargea de lui dire tout ce que cette position lui inspirait. Émilie la relâcha pour qu'elle puisse poser ses mains dans le creux de ses reins et aller cueillir un baiser sur ses lèvres. Son corps pressé contre le sien, irradiant d'une promesse sincère, celle de tout lui donner si elle le lui permettait.

La porte s'ouvrit avec fracas.

– Bon ann…

Le grand blond qui se tenait sur le pas de la porte se figea. Il mit quelques secondes à comprendre la situation et, chose faite, fit un pas en arrière et ferma la porte.

– Hiro, je te présente mon frère, Thomas.

Les présentations faites, Émilie sauta dans le couloir.

Après une seconde durant laquelle ils se regardèrent en silence, son frère fit un pas en avant et la prit dans ses bras. Il serra si fort que des vertèbres craquèrent. Émilie ne réalisa qu'à ce moment combien il lui avait manqué ces dernières semaines.

– On dirait que j'ai raté plein de choses, dit-il.

– Ouais, genre l'occasion de toquer.

– Au moins cette fois-ci tu es habillée.

Émilie souffla du nez. Inutile de lui rappeler ce moment horrible. Hiro apparut enfin dans l'embrasure de la porte. Thomas la jaugea un instant des pieds à la tête et, avant de paraître plus malpoli qu'il ne l'était déjà, il tendit la main.

– Thomas, enchanté.

– Hiro.

– C'est un nom masculin.

– Il paraît.

– Japonaise ?

– D'origine.

– Fumeuse, renifla-t-il.

– Tu veux son groupe sanguin aussi ? l'arrêta Émilie.

– Pardon, j'ai tendance à m'emporter. Émilie t'a parlé de Camille ? C'est ma femme. Viens, on va faire connaissance à table. J'ai des pizzas surgelées. Végétarienne, j'ai pas oublié cette fois.

– Il est 15 h, commenta Émilie.

– Décalage horaire, je meurs de faim.

Thomas entraîna Hiro vers l'escalier d'une main ferme dans le dos.

Dans le salon, une brune longiligne faisait la discussion avec Julien. Elle se leva à leur approche pour se présenter à son tour. Son visage était radieux malgré deux énormes sillons sous les yeux.

– Ça fait plaisir de te voir, fit Camille en pinçant doucement la joue d'Émilie. Tu es rayonnante. L'université te fait du bien.

– Tu trouves ? C'est vrai que je m'amuse. Je découvre plein de choses que je ne pensais pas aimer.

– Je vois ça, dit son frère en fixant Hiro.

Émilie leva les yeux au ciel. Son frère, dans toute sa splendeur. Débile et gênant.

– Et donc, tu disais, la fac ? reprit Camille comme si de rien était.

Émilie dut répéter encore une fois ses anecdotes sur l'université, son terrain de basket au milieu du parking, ses étudiants aux looks improbables, ses centaines d'affiches de Mélenchon et du NPA. Elle s'étonna de tenir la discussion si longtemps avec ces histoires sans être interrompue, du moins jusqu'à ce qu'elle remarque le regard lourd que Thomas posait sur Hiro. Peu de gens pouvaient tenir tête à ses yeux d'un bleu clair perçant, surtout quand son visage se faisait aussi impénétrable. Émilie claqua des doigts devant le visage de son frère pour le ramener à la conversation.

– Pardon, fit Thomas d'un air absent. Pas de blocus ?

– À part le mouvement de grève en psycho, non. On va pas s'en plaindre.

– Une année d'élection présidentielle il n'y a jamais de réformes justifiant un mouvement social massif, intervint Hiro. L'an prochain ça risque d'être plus sportif, surtout dans le climat actuel. Akim pense que le projet Idex sera remis sur la table.

– Qu'est-ce que c'est ?

– La fusion des universités et, du coup, un seul groupe pour les diriger et discuter le budget. Tout le monde sait que le but derrière est de donner plus d'argent aux filières d'excellence et d'étouffer les moins rentables. Le but final étant de limiter les entrées dès le bac et, à terme, de fermer des licences considérées comme inutiles. Postbac va aider en limitant de plus en plus les places.

– Soyons tous médecins et mort à la superficialité inutile de l'art, n'est-ce pas ? En tant que photographe, même autodidacte, ma position est assez évidente. Et la tienne ?

Émilie sentit l'étau d'un test se refermer sur sa petite amie. La question, loin d'être innocente, allait être décortiquée et anatomisée pour ranger Hiro dans une petite case de couleur politique.

– Je me passerais d'avoir un avis, dans la mesure où je n'ai jamais fait d'étude, mais par principe je trouve dommage de ne pas laisser le choix. Un choix réel, pas limité en place ou par un prix d'entrée. Sans compter que tout ça oublie un peu le droit à l'erreur, quand on est un gamin de 18 ans.

Cette dernière phrase laissa un blanc à table et Hiro, réalisant la tournure de sa phrase, ne savait plus où poser les yeux. Émilie lui lançait un regard noir, son frère fronçait les sourcils avec méfiance et, même Camille, quitta un instant son visage de poupon. Julien, lui, enfonça son nez dans son assiette. Thomas commença les hostilités.

– C'est vrai que ça me chiffonne depuis le début mais… tu as quel âge ?

– Pas beaucoup plus que toi. 22 ans.

Le couple se détendit un peu, contrairement à Émilie.

– Gamin de 18 ans, répéta-t-elle sur un ton acide. Et du coup à 17 on est quoi, un bébé ?

Hiro aurait préféré en parler sans témoin. Tous ces yeux braqués sur elle l'empêchaient de réfléchir aux mots adéquats.

– Rapport à la société. On peut pas vous demander, si jeune, de vous comporter comme des adultes et de vous connaître à la perfection.

Émilie tapota la table du bout des doigts avec un agacement que Hiro ne pensait pas voir un jour lui être adressé. Soudain, elle se sentit en territoire hostile, comme une biche qui va se faire dépecer. Ne jamais remettre en question la maturité de quelqu'un. Ce n'était pourtant pas compliqué à faire...

– Je ne pense pas être adulte non plus, tu sais. Enfin, pas tout à fait.

– Donc nous, à 20 ans, on est pas des adultes ?

Hiro se tourna vers Thomas, tous les signaux d'alarme en alerte. Repli stratégique nécessaire, abandonner tout espoir de réparer les dégâts de sa mauvaise formulation. Julien, tel le messie, lui vint alors en aide d'une façon tout à fait inespérée :

– C'est quoi le problème d'être des gamins ? Je découvre encore des trucs basiques tous les jours, je serais incapable de gérer la moindre responsabilité et c'est cool si la société me laisse le temps de grandir. Comme ça je peux faire les choses à mon rythme et je peux prendre le temps de profiter de chaque période de ma vie. Je deviendrais un adulte assez vite comme ça.

Les prétendus enfants hochèrent tous vivement la tête. Hiro aventura sa main sous la table et se rassura de sentir des doigts glisser entre les siens. En face, un étrange jeu de regard se jouait entre Thomas et Camille, durant lequel le moindre haussement de sourcil avait une signification qu'eux seuls pouvaient comprendre.

– Puisqu'on en parle, commença finalement Thomas. On a quelque chose à vous annoncer... Il se trouve que. Dans un acte volontaire de notre part. Il est possible que nous ayons, éventuellement… peut-être…

– Je suis enceinte.

– Voilà.

Un silence gênant traversa la table.

– Félicitations ! lança finalement Hiro.

– Vous allez vous marier du coup ? demanda Julien.

– Oui, je vais commencer ma vie de père avec une dette colossale. C'est pas grave si on peut plus lui payer les couches. C'est surfait les couches.

La question de l'argent se posa néanmoins plus sérieusement. À cause des conditions de travail parfois dangereuses et de l'insalubrité des régions sauvages, Camille préférait rester en France pour quelques années. Comme Thomas ne voulait pas s'éloigner trop longtemps, au moins au début, ils avaient dû marchander avec leur employeur une sorte d'année sabbatique. Mais, contre l'assurance d'un poste à leur retour, ils n'auraient plus le moindre revenu.

– Camille touchera son congé maternité, les aides de la CAF et le reste on compte sur la vente de… — Thomas ouvrit les bras — la vente de tout ça.

– Et après ? Vous allez emmener le bébé avec vous ?

Thomas se tourna encore vers sa femme pour chercher à avoir son aval avant de répondre à sa sœur :

– Pas au début mais pourquoi pas après. Il pourrait découvrir très jeune tout un tas de cultures et de paysages, avant qu'ils ne soient détruits. En tout cas je ne m'imagine pas rester dans une petite ville à photographier des mariés, ni comme le père qui n'est là que deux mois dans l'année.

Hiro arqua doucement un sourcil mais se passa du moindre commentaire. Difficile pour elle de ne pas avoir un avis négatif sur une manière de vivre qui l'avait conduite à fuir son foyer. Émilie le remarqua cependant. Elle allait proposer de s'éclipser ensemble au moment où Thomas lui demanda de l'accompagner dehors. Le temps qu'Émilie refuse, Hiro s'était déjà levée et reprenait les cartons.

Les nuits commençaient à se rafraîchir, mais Thomas se contenta d'un t-shirt léger. Il marcha un moment dans le jardin avec son trépied et son appareil, ne les posant que pour cadrer avec ses doigts le paysage et trouver le coin parfait. Là, il s'installa dans l'herbe et régla la hauteur du trépied pendant une bonne vingtaine de minutes à cause des nombreux trous du jardin qui l'empêchaient de le stabiliser.

Pendant ce temps, Émilie regarda les étoiles qui étincelaient dans le ciel. Un point positif que les lumières de la ville ne pouvaient égaler mais si insignifiant en comparaison du ciel des contrées sauvages d'où l'on pouvait observer la beauté majestueuse de la Voie Lactée. Émilie se souvenait encore très clairement de cette nuit où ils avaient atteint le sommet du Zugspitze après trois jours d'escalade. Un ciel sans lune comme ce soir où le silence était si parfait qu'elle pouvait entendre son cœur battre. Un petit morceau de chair dans l'immensité d'une planète, elle-même noyée dans les millions d'autres cailloux qui composaient l'Univers. Une minuscule et insignifiante pompe à sang, coincée dans un corps perdu dans l'espace. Hiro ressentait peut-être la même chose dans son bâtiment délabré.

– Y a pas de perte de lumière ?

Émilie se pencha vers la photo que lui montrait son frère. Même si l'image reflétait l'essentiel des étoiles, il en manquait suffisamment pour perdre la beauté du ciel. Elle se souvint alors que Thomas, malgré ses lentilles, ne percevait qu'une infime partie de la beauté des astres.

– Je vais essayer de faire comme ces vidéos où on voit le ciel bouger mais pas la Terre. Avec une vitesse d'obturation de 20 secondes ça va me faire que trois photos par minute, j'espère que le rendu sera correcte. Bien sûr là y a du bruit mais ça partira sur Photoshop sans problème.

– 180 photos par heure ça suffira, vu la lenteur de la rotation terrestre. Tu te lances dans les paysages comme Camille ?

– Non, je teste juste des trucs. Je me dis que je pourrais essayer de me faire un peu d'argent en cherchant le buzz sur YouTube. D'une certaine manière, si je peux éviter de trop toucher à l'héritage…

Après avoir longuement observé ses premières photos, Thomas posa son appareil photo sur le trépied et enroula ses bras autour de ses genoux. Depuis le jour où il avait volé celui de leur père pour partir en forêt chercher le cerf, Émilie savait que sa place ne se trouvait pas avec ses semblables, dans un petit village tranquille. Au lycée, il saisissait chaque occasion pour partir, même s'il devait rater des cours et subir le courroux de leur mère à son retour. Rien ni personne ne pouvait le maintenir en place plus de quelques jours, si ce n'est l'idée de pouvoir faire le cliché parfait et rencontrer Camille n'avait fait qu'accentuer la fréquence de ses départs puisqu'elle partageait la même passion pour la nature sauvage. Thomas était né pour devenir globe-trotteur.

– Qu'est-ce que tu feras si tu ne peux plus voyager aussi facilement ?

– À cause du petit ? Il faudra bien que je trouve. C'est comment la vie d'un étudiant sédentaire ? Je peux toujours me prévoir une porte de sortie dans l'enseignement.

– Il faut aimer la présence des autres.

– Mince, ça va pas m'aller alors.

Émilie se mit à rire. Un nuage s'échappa de ses lèvres. Le froid s'intensifiait petit à petit, jusqu'à devenir à peine supportable avec sa veste. Thomas l'invita à venir s'asseoir entre ses jambes pour les réchauffer tous les deux.

– J'ai eu papa au téléphone à l'aéroport. Il m'a dit qu'il ne pouvait pas venir fêter ton anniversaire alors j'en ai profité pour lui annoncer.

– Il a réagi comment ?

– Comme d'habitude. D'après lui je suis stupide de devenir père aussi jeune, avec une situation aussi incertaine. Les parents de Camille ont à peu près le même avis. Je m'attendais à une telle réaction mais j'espère que ça leur passera, je voudrais que cette enfant ait une famille aimante. Tu me soutiens, toi, mon petit poussin d'amour ?

Thomas posa son menton sur la tête de sa sœur.

– Je pense comprendre, au moins. On a plus le luxe d'être

des enfants. Il faut devenir des gens capables de vivre sans
parents. On prend des décisions, on doit les assumer sans trop
connaître les conséquences. Si c'est pas ça devenir adulte, c'est
que j'ai rien compris au concept.

– C'est ça. J'ai besoin de transmettre tout ce qu'elle m'a
appris et tant pis pour l'idée que je me faisais de mon futur.

– J'étais justement en train d'y réfléchir il y a quelques jours.
Je vais utiliser cet argent pour payer mes études sans avoir à
travailler. Papa veut la jouer au chantage, qu'il essaye un peu.
Je vais me donner toutes les chances de réussir et ce sera ma
décision, bonne ou mauvaise.

Près d'une heure passa dans le silence le plus religieux avant
qu'on ne vienne déranger la fratrie. Hiro se frayait difficilement un chemin dans l'herbe haute et l'obscurité totale de la
nuit, deux tasses à la main.

– Oh ! Télépathie ! s'exclama Thomas. J'y pensais justement !

– Remercie Camille alors, c'est elle qui m'envoie.

– Quelle femme fantastique… Pour la peine je vais aller lui
tenir compagnie un petit peu. Vous surveillez que l'installation
se casse pas la gueule, merci.

Thomas déposa un baiser sur la joue de sa sœur et se leva.
Son départ frigorifia Émilie une courte seconde, le temps
qu'Hiro prenne sa place et soupire d'aise.

– Enfin seules, constata-t-elle.

– Tu ne regrettes pas trop d'être venue ?

– Je ne m'attendais pas à autre chose. On a pas mal avancé

avec Julien, ce type est d'une efficacité redoutable. Il doit descendre de Ford.

– Vous êtes des amours. Demain on se repose et tu pourras rentrer, je terminerai cette semaine. Je vais rater quelques cours mais je veux vraiment en finir pour de bon. Avec un expert immobilier, une agence qui s'occupera de la vente, tout l'attirail.

– Si tu restes, je reste.

Émilie frotta sa joue contre celle de Hiro. Dans sa poche, elle sentit son téléphone vibrer. Le sien ne tarda pas et aucune n'eut besoin de regarder l'écran pour savoir de quoi il s'agissait. Minuit.

– Bon anniversaire !

– Ça y est, je peux boire de l'alcool et avoir des relations sexuelles avec des majeurs ! Attends…

– Et oui, tu ne fais officiellement plus rien d'illégal, félicitations.

– Mais quelle arnaque… En attendant, fais-moi vite un bisou, il va arriver en courant d'une seconde à l'autre.

Déjà, le martèlement des pas du fraternel se fit entendre. Émilie eut juste le temps de poser sa tasse avant que Thomas ne lui hurle dans les oreilles. Les hiboux s'envolèrent, les rongeurs s'enfuirent et la jeune adulte perdit au moins 20 % d'audition dans l'oreille droite.

– Allez, zou, on t'a fait un gâteau, tu viens manger.

Thomas l'attrapa par le bras pour la soulever du sol et, dans un deuxième temps, la porta sur son épaule. Émilie n'essayait plus de lutter depuis ses 15 ans, au contraire, elle commençait à apprécier ce rituel dont cette année devait être la dernière.

11

Émilie s'allongea sur son lit, tard dans la nuit. Les autres faisaient encore du bruit dans le salon pour savoir où Julien allait dormir. L'étudiante se repassa les photos de la soirée pour être certaine d'avoir immortalisé l'essentiel. Les rapports entre Hiro et son frère s'étaient largement améliorés à partir du moment où de l'alcool avait été posé sur la table. Pour preuve, le gâteau qu'ils arboraient tous les deux sur la joue, puis leur duo à la guitare. Émilie zooma sur le visage concentré de Hiro et sa langue qui dépassait légèrement de sa bouche.

Sur les photos suivantes, Thomas et Camille posaient pour des détournements d'annonce de grossesse. Le père gonflait le ventre petit à petit, jusqu'à accoucher d'une plante verte.

Le reste de la soirée, son frère avait pris le téléphone et immortalisé des moments de tendresse du jeune couple, même ce baiser volé dans la cuisine, alors qu'elles se croyaient seules. Émilie se mordit la lèvre inférieure en y repensant.

Dans la soirée, Bastien lui avait envoyé quelques mots gentils, tout en pudeur. Penser à son ex l'avait troublée de certitude ; il était maintenant évident qu'il appartenait à son passé. Jamais elle n'avait ressenti pour lui la moitié de l'attirance qu'elle ressentait pour Hiro. Et ce soir, elles allaient dormir ensemble.

Émilie s'enroula dans sa couverture.

Passer d'un puceau de son âge à une fille expérimentée et tatouée était un grand écart vertigineux. Elle hésita à chercher des conseils sur internet, au moins pour se rassurer, avant d'envoyer un message à Julien. Son meilleur ami rappliqua dans la minute et ferma la porte derrière lui, essoufflé.

– Code rouge ? Qu'est-ce que t'as ?

– Je fais quoi s'il se passe un truc ce soir ? Comment je m'y prends pour pas faire n'importe quoi ?

– Hermpf, toussa-t-il en réponse.

Julien s'assit sur la chaise de bureau. Il s'attrapa le menton entre l'index et le pouce et réfléchit sérieusement à la question.

– Tout est une question d'alchimie du moment, j'imagine. Si tu en as envie et elle aussi ça devrait se faire tout seul, comme dans les films.

Émilie leva les yeux au ciel.

– On sait tous les deux comment se passe *vraiment* les premières fois.

Son ami se figea dans une grimace.

– Vrai, reprit-il. N'empêche que Hiro est au courant depuis le début donc elle ne doit pas s'attendre à grand-chose. Alors… respire. Rien ne dit que ça se fera ce soir et s'il y a bien un truc sur lequel je lui fais confiance, c'est de pas te heurter. Cette fille a tellement de patience... Elle t'a dévorée du regard toute la soirée presque sans t'approcher parce que tu parlais toujours avec moi ou ton frère.

– C'est vrai ?

– Parole de scout. Elle est à fond sur toi mais elle te laissera le temps de faire le premier pas. Si tu veux que ça se passe ce soir... fonce. Mais si tu veux attendre un meilleur moment, rajouter des bougies, de la musique et t'assurer de pouvoir faire un maximum de bruit sans que je t'entende, c'est chouette aussi.

Émilie prit une profonde inspiration. C'était exactement ce qu'elle avait besoin d'entendre.

Quand Hiro entra dans sa chambre, quelques minutes plus tard, elle semblait prise par d'autres pensées. La japonaise se frotta les mains en regardant la bibliothèque, prête à ouvrir tous les tiroirs à la recherche de secrets honteux. Émilie la suivit dans son méticuleux tour de la pièce, amusée.

– T'en as pas assez eu avec les photos de mon enfance ? Tu devrais vraiment te mettre aux réseaux sociaux, tu adorerais.

– Sur les réseaux les gens postent ce qu'ils veulent qu'on sache. C'est pas ce que je cherche.

– Si tu cherches les dessins que je faisais en marge de mes cours, c'est le tiroir de gauche de mon bureau.

Hiro marqua un moment d'hésitation et prit place sur la chaise, devant le bureau en bois. Elle poussa un soupir, son regard encore à la recherche de quelque chose d'intéressant.

– J'aime bien en apprendre plus sur toi, expliqua-t-elle. Toutes nos petites différences, quand on regarde dans le détail et, pourtant, y a ce truc entre nous.

– Quoi ?

– L'alchimie.

Enfin, les yeux d'Hiro se posèrent quelque part. Elle attrapa la carte de vœux sur la troisième étagère du bureau. Une carte basique, probablement achetée dans un supermarché avec à l'intérieur une photo d'Émilie et de Bastien et une phrase simple, écrite au bic « mon bébé à jamais <3 »

Hiro mit la carte en sûreté dans son dos avant qu'Émilie ne lui arrache des mains.

– Donne, j'ai oublié de la jeter.

– Fais pas ça, c'est un souvenir important. Bastien a compté dans ta vie. Tu l'as aimé, non ?

Émilie ne savait pas quoi répondre. Cette discussion la mettait mal à l'aise et Hiro enfonçait le clou :

– On tire pas un trait sur une relation parce que ce n'était pas *la bonne*.

– Mais je suis avec toi maintenant, je veux pas que tu t'imagines des trucs.

Hiro esquissa un sourire laissant entendre qu'elle ne craignait pas la compétition.

– Enfin, se calma Émilie. Tu as dû en avoir toi aussi, des relations importantes. J'imagine que tu sais de quoi tu parles.

– Quelques-unes. Moins que ce que tu crois. J'ai été égoïste pendant longtemps et ce n'est pas le bon état d'esprit. À la moindre difficulté, on fout le camp et on fait beaucoup de mal aux autres. En fait, je dirais même que j'aurais aimé commencer comme toi. Avec une relation d'un an et des petites cartes un peu ridicules.

Émilie s'assit sur les genoux de Hiro, passa une main réconfortante le long de sa mâchoire. L'espace d'un instant, elle avait cru voir de la tristesse dans son regard mais, rapidement, le petit éclat revenait dans ses prunelles sombres.

– En parlant de cadeau…

Hiro gesticula jusqu'à sa poche et en sortit un bracelet brésilien noir et rouge.

– Alors c'est pas l'Allemagne, je te l'accorde, mais aller à Toulouse a été une grande aventure pour toi. Je me suis dit que ça comptait comme un voyage.

Émilie la laissa accrocher son cadeau à son poignet, au milieu de tous les autres bracelets de ses voyages. Ce n'était peut-être pas sa destination la plus lointaine, en effet, mais c'était à ce jour la plus importante. Et ce n'était que le début.

– Tu voudras aller en Dordogne cet été ? proposa soudain l'étudiante. Il y a des tas de châteaux en ruines, ça devrait te plaire.

Un incendie s'alluma derrière les pupilles de la japonaise.

* * *

Parce qu'elle n'avait plus l'excuse de la distance, Émilie s'imposa un passage au cimetière avant de partir.

Malgré les beaux galets blancs, les marbres colorés et l'abondance des fleurs, il régnait dans le cimetière une ambiance glauque. À cause de son silence de mort, probablement.

Les tombes se succédaient les unes après les autres, elle chercha longtemps celle de sa mère et s'étonna de trouver le cimetière si grand alors que la ville était si petite. Est-ce qu'ils recevaient tous de la visite ? Certains devaient jalouser leur voisin à qui on arrosait les fleurs toutes les semaines d'un torrent de larmes, tandis qu'ils n'étaient plus que des noms sans histoire gravés dans le marbre.

Émilie trouva la tombe recherchée alors que cette pensée traversa son esprit. Un jour, plus personne ne se souviendra de la personne magnifique qu'on a enfermée sous cette dalle. On passera devant en se demandant « qui la pleure encore ? » et la réponse, tragiquement, ne pourra être que le mutisme de l'oubli. L'étudiante s'appuya contre la tombe pour ne pas tomber, prise d'un vertige soudain. Comment pouvait-elle penser ça ? Imaginer un monde dans lequel il ne resterait rien de sa mère, c'était aussi penser à un monde où elle-même n'existerait plus.

Tout serait plus facile si elle pouvait croire à un paradis. Si elle pouvait caresser l'idée que sa mère l'observait depuis l'Ailleurs et assisterait à tous ses accomplissements. Si d'un souffle mystique elle parvenait à transcender son état pour lui murmurer à l'oreille les conseils dont sa fille avait tant besoin. S'il existait un tel monde, alors Émilie pourrait dire à sa mère combien elle l'aimait, juste une dernière fois.

Mais Émilie ne parvenait à croire qu'en la tragédie du Néant et ce morceau de marbre ne lui renvoyait que sa solitude. Aux souvenirs de son enfance heureuse se substituait celui du cadavre. Un alien de cire à la bouche distendue par l'absence de contraction musculaire. Rien à voir avec le cliché du sommeil éternel, la mort est vulgaire. On fourre un tas de chair de coton pour le rendre présentable, on l'habille, on lui croise les mains dans une position improbable. Émilie avait vu un voisin empailler son animal, une fois, ce ne devait pas être si différent pour les êtres humains. Envisager le trépas du point de vue technique l'aidait à prendre de la distance. De toute façon, dès la seconde où elle avait trouvé le corps de sa mère au pied de l'escalier, elle avait compris qu'il ne restait qu'une coquille vide. Une poupée aux grands yeux éteints.

Pourtant, debout devant ce bloc de marbre, Émilie sentit quelque chose de plus. Une sensation ineffable, à peine perceptible. L'impression que malgré tout, il demeurait un lien et que ce lien, elle devait le briser avant que l'inverse ne se produise.

Hiro, près d'elle, lui attrapa la main.

12

En rentrant à Toulouse, alors que les murs de briques rouges défilaient sous ses yeux, Émilie eut la sensation surprenante de rentrer à la maison. Elles déposèrent la voiture au plus près de l'appartement de Baptiste et montèrent juste lui rendre les clés. De nouveau piétonnes, les filles s'engouffrèrent dans le tunnel du métro, en direction de la ligne B. Émilie posait son sac à dos dès qu'elle en avait l'occasion, les épaules meurtries par son poids. Elle avait hâte de se débarrasser des livres qu'il contenait.

– T'es sûre qu'elle est chez elle ? demanda Hiro en passant sa carte devant le portique de sécurité.

– Charlotte m'a envoyé un message à minuit pile pour mon anniversaire. Elle s'est excusée de son silence des derniers jours et quand je lui ai dit que j'avais des affaires à elle, on a convenu d'un rendez-vous dès mon retour. Donc, oui, elle a intérêt à y être.

Les passants se pressaient en masse dans les allées du métro. Malgré la longueur des quais, il était impossible de se frayer un chemin jusqu'au wagon sans bousculer quelques épaules. Si Émilie s'habituait à beaucoup de subtilités urbaines depuis son arrivée, l'oppression de la foule n'en faisait pas partie.

– Du coup, commença Hiro alors qu'elles entraient dans une rame. On fait quoi après ?

– On ? Après quatre jours ensemble tu veux pas voir d'autres gens ?

La barre du métro était moite. Émilie la lâcha avec une grimace de dégoût et s'accrocha plutôt aux hanches de Hiro qui, de sa main libre, la soutenait au creux des reins.

– Faut croire que non. Après, si tu veux faire soirée, on est jeudi.

Émilie sourit. Le jeudi semblait être un jour sacré pour la japonaise, la priver de son petit plaisir serait cruel. Toutefois, rien ne l'empêchait de se faire un peu désirer.

– Pour me motiver à ressortir ce soir, avec mes partiels qui approchent… Il va te falloir me convaincre. Longtemps.

Au même moment, l'étudiante croisa le regard insistant d'une dame assise et en suivit le cheminement. Émilie. Ses hanches. Hiro. Émilie. Hiro.

Elle se rendit alors compte qu'ils étaient nombreux à les fixer. La plupart avaient une expression indéchiffrable. Ce n'était pas le même regard qu'avec Bastien. Ils étaient plus incisifs. Bizarre. Là, elle ne sentait pas cette bienveillance envieuse mais plutôt une curiosité qu'on accordait à un animal exotique dans un zoo. L'un d'eux se pencha pour murmurer quelque chose à son voisin et Émilie comprit qu'ils parlaient d'elles. Elle s'éloigna d'un pas et reprit la barre du métro en main.

Hiro pencha la tête sur le côté, probablement perturbée par le contraste entre les mots d'Émilie et ses gestes mais, malgré son regard insistant, l'étudiante se mura dans le silence.

Elles sortirent à Paul Sabatier. Émilie ne pensa à appeler son amie que devant la résidence. Charlotte décrocha après quelques minutes, le souffle un peu court et le ton enjoué.

– What's up, dude ?

– Je suis devant chez toi, là. Tu me files le digicode ? On est coincées dehors.

– D'accord, tu es devant chez moi et tu vas monter. Pas de problème. Attends juste deux min…

– C'est bon, quelqu'un sort.

Émilie raccrocha, le sourire aux lèvres. Même si ces dernières semaines sa meilleure amie s'était montrée aussi distante que possible, sa porte restait ouverte. Quand Charlotte les accueillit sur le seuil de son appartement, son regard s'arrêta sur Hiro, qu'elle sonda de la tête aux pieds.

– Enchantée. Tu es…

– Sa meuf, se contenta-t-elle de répondre en lui claquant une bise.

– Ah. Hiro. Parfait. Génial.

Émilie entra dans le petit studio. À l'image de son occupante, la pièce à vivre était décorée avec goût mais l'étudiante ne prit pas le temps de la détailler. Un bruit en provenance du

salon attira son attention, rapidement suivit d'un « merde »
sifflant.

– Julien est là ?

En même temps qu'elle posait la question, Émilie remarqua
un t-shirt d'homme sur le lit défait. Toutefois, elle n'eut pas
besoin d'une réponse verbale pour comprendre, à l'expression
du visage de Charlotte, que Julien n'était pas celui qui se
cachait dans la salle de bain. En deux grandes enjambées, elle
arriva devant la porte et l'ouvrit sans hésitation.

Devant elle, torse nu, collé au lavabo comme s'il pouvait s'y
fondre, se trouvait en effet un autre homme. Une espèce de
punk à la crête cuivrée et au teint olivâtre.

Émilie réagit au quart de tour.

Le punk se cacha derrière le rideau de douche alors qu'elle
lui jetait tout ce qui passait sous sa main ; brosse à dents,
crème de jour, cotons démaquillants. Hiro l'attrapa par derrière
et l'éloigna avant qu'elle n'attrape le flacon de parfum.

Il n'en fallut pas beaucoup plus pour qu'Émilie redescende
en pression, assez pour réaliser son emportement. L'espace
d'un instant, elle avait si violemment souhaité effacer les
preuves qu'elle en aurait tué les principaux intéressés. Maintenant, elle ne ressentait plus qu'une haine froide, typique de
l'injustice. Hiro se plaça entre elle et Charlotte, au cas où la
discussion partirait en combat de chats.

– Émilie tu te calmes ! C'est pas une façon de se comporter
avec les gens !

– Mais tu te fous de ma gueule ou quoi ? Tu veux que je
réagisse comment ?

– Pas comme une gamine névrosée, en tout cas.

– Hey, intervint Hiro. Comment tu lui parles…

– Tu crois qu'il faut lui parler comment quand elle est dans cet état ? Moins tu t'énerves et plus elle va péter les plombs.

Charlotte lâcha sa dernière phrase comme une évidence, désarçonnant Hiro qui ne trouva rien à répondre. Émilie s'éloigna pour faire les cent pas dans les trois mètres carrés disponibles du salon. Après quelques minutes, elle souffla bruyamment.

– Réponds-moi sincèrement. Depuis combien de temps ? Parce que j'ai vu Julien hier et, d'après lui, vous étiez encore ensemble à ce moment-là. Alors si tu me dis que c'est fini entre vous et que tu es avec ce… machin, d'accord. Mais tu vois, là, avec les infos que j'ai en main, j'ai plutôt l'impression que tu le trompes et ça… ça…

– Émilie…

– Je t'ai posé une question simple. Je veux une date !

Hiro pouvait sentir à quel point Émilie se retenait d'exploser encore une fois. La voix et les mains tremblantes, le visage rouge. Un mot de travers et son maigre self-control volerait en éclat. Si Charlotte connaissait si bien les colères de son amie, c'était le moment de le prouver.

– Oui, je le trompe.

Émilie s'arrêta, bouche bée.

Elle s'assit sur une chaise pour avaler l'information, l'air aussi perdu que si on venait de lui apprendre que la terre était plate. Le punk approcha à pas de loup pour attraper son t-shirt. Il jeta un coup d'œil vers Émilie, aux aguets, mais elle ne s'intéressait déjà plus à lui. Hiro lui fit signe de sortir pour les laisser seules et elle partit à son tour. Le temps qu'ils ferment la porte d'entrée en faisant le moins de bruit possible, Émilie n'avait pas bougé d'un millimètre.

Charlotte posa une tasse de thé devant elle.

– Ça va aller ? On dirait que t'as planté.

– Je comprends pas. C'est comme s'il y avait un bug dans la matrice ou un paradoxe dans le cosmos.

– Pas spécialement mais je comprends ta réaction. Tu as le droit de me traiter de connasse si tu veux.

Émilie prit la remarque avec autant de violence que si l'insulte lui avait été adressée. Comment pourrait-elle associer ce mot à Charlotte ?

– Tu devrais essayer de te défendre au lieu de faire ton propre procès.

– Je n'ai rien à dire pour ma défense.

– Mais… tu dois bien avoir une raison. À défaut d'excuses, il y a une explication.

– Oui.

– Qui est… ?

– Qui ne te regarde pas.

– Pourquoi est-ce que tu ne me donnes pas une chance de te pardonner ? s'emporta Émilie. Je n'ai pas envie de te considérer comme une connasse, ou une salope ou quoi. Je pourrais peut-être comprendre si tu m'en donnes l'occasion…

– Parce que je sais que tu ne le feras pas et que ton pardon ne m'intéresse pas vraiment. Je veux dire, ce n'est pas toi que je trompe.

– Ne tourne pas ça comme si c'était de la curiosité mal placée. Julien est mon meilleur ami et toi aussi, je suis en droit de savoir ce qu'il se passe dans ta vie pour que tu trahisses sa confiance.

Depuis qu'elle la connaissait, Charlotte ne s'était jamais montrée secrète, au contraire. Pendant deux ans, elles avaient tout partagé et il y avait dans sa façon de s'exprimer un rejet aussi inattendu que le reste. Plus les minutes passaient, moins Émilie comprenait la tournure des évènements.

– Tu vois, répondit-elle, c'est ça le truc. On l'est plus vraiment. Je veux dire, je t'apprécie toujours, je me souviens de tous les moments qu'on a passé ensemble, mais on se voit beaucoup moins et, irrémédiablement, on s'éloigne. Ça ne va pas aller en s'arrangeant. Je n'ai plus l'impression que tu fasses assez partie de ma vie pour que j'aie à me justifier de mon comportement.

La stupidité de cette remarque lui coupa l'herbe sous les pieds. L'éloignement, cette excuse intemporelle, si peu crédible à l'air du numérique, qui ne témoignait en réalité que d'un désintérêt. L'absence d'envie de se battre pour garder du lien, le ménage dans les relations pour faire du neuf sans se lester du vieux. Ce qui choquait Émilie, c'était la vitesse à laquelle cette réflexion arrivait sur la table. Deux mois d'études supérieures balayaient tout ce qu'elles avaient construit ces dernières années.

– Tu n'essayes même pas de me convaincre de ne pas tout dire à Julien…

– Tu es incapable de lui faire du mal, je ne me fais pas de soucis de ce côté-là.

– Toi par contre, on dirait que ça te dérange pas !

Il n'en fallut pas plus pour faire déborder le vase. Émilie se leva, son sac sur l'épaule et se dirigea vers la porte. Avant d'en franchir le seuil, elle marqua une courte pause, pour s'assurer de n'avoir aucun regret et, à son grand désarroi, Charlotte en profita pour poser la cerise sur son gâteau de merde.

– À la prochaine.

– T'es sérieuse ? Après ce que tu viens de me dire ?

– On est plus les besta-sista du lycée. En quoi ça nous empêcherait de prendre une petite pizza par an, en souvenir du bon vieux temps ? Je suis juste réaliste, Émilie. Je ne te dois plus les mêmes choses qu'avant et je pense, sincèrement, que d'ici quelques années cette histoire te semblera anecdotique.

– Ta certitude t'honore mais je vois pas pourquoi je garderais contact avec une fille comme toi.

– Tu vas revenir. Je le sais, tu le sais aussi. Tu as besoin de moi.

Un frisson parcourut Émilie. Le timbre de voix de son amie évoquait plus le coup de poker qu'une réelle certitude mais, même en le sachant, il touchait au cœur. Durant une courte seconde, elle vit toute leur amitié passer devant ses yeux. Les discussions interminables sur Skype, les mots d'amour platoniques de toutes les grandes amitiés. Un jour, Charlotte lui avait avoué entendre une sorte de résonance quand elles se parlaient, comme si le dialogue se passait dans sa tête tant les répliques coulaient de source. Comme un seul cerveau, une seule âme. Une niaiserie mièvre qui, à l'époque, avait comblé une solitude insatiable en Émilie.

Charlotte le savait.

Charlotte venait de s'en servir pour refermer ses griffes sur une proie dont elle connaissait les fragilités. L'espace de cette courte seconde, Émilie comprit qu'il y avait quelque chose de vicié dans cette volonté de s'accrocher à une amitié tout en œuvrant à son agonie. Une contradiction dont les motivations, troubles, ne pouvaient rien cacher de positif.

– Adieu, Charlotte.

Émilie dévala les escaliers, une aigreur dans la bouche.

Elle traversa ensuite le parc de la résidence à grands pas, arrivant presque jusqu'au boulevard avant d'être de nouveau arrêtée, par Hiro cette fois. Émilie se blottit dans ses bras, sur le point de pleurer rien qu'en imaginant la souffrance de Julien quand il l'apprendrait.

– Comment je peux lui annoncer, il va être dévasté.

– Ce n'est pas à toi de le faire.

En repensant à la discussion qu'elle venait d'avoir avec la traîtresse, Émilie commençait à en oublier les détails et à en regretter certaines tournures. Au lieu de se laisser surprendre par la froideur de sa réaction, elle aurait dû la confronter à ses actions et l'inciter à arrêter ou, au moins, à en assumer les conséquences. Là encore, Charlotte savait qu'elle n'avait pas les pattes assez blanches pour lui faire la morale. Après tout, c'était dans sa bouche qu'Émilie avait fourré la langue après une soirée un peu trop arrosée et son petit ami de l'époque ne l'avait jamais su. Deux poids, deux mesures, certes, mais assez pour rendre toute confrontation stérile.

– Il faut bien que quelqu'un le fasse.

– Justement, non. C'est facile de juger quand on est pas à l'intérieur d'un couple mais, d'expérience, c'est mieux pour tout le monde de ne pas s'en mêler. Ton rôle d'ami sera de ramasser Julien à la petite cuillère quand il l'apprendra.

Cette solution ne lui convenait pas plus qu'une autre mais avait au moins le mérite de penser au bonheur du principal concerné.

Émilie soupira.

– Il ne mérite pas cette situation.

13

Émilie entendait chaque bruit crever ses tympans. À croire que le maître de conférences faisait exprès de cracher dans son micro après chaque phrase. Quand il se taisait enfin, pour laisser à ses étudiants perdus le luxe de penser, c'était pour les inonder de sa respiration sifflante. Émilie ne suivait pas, coincée dans un cercle vicieux qu'elle ne pensait pas revivre après le lycée. Continuellement en retard, le cours de socio-logie lui servait maintenant à étudier les statistiques, matière où elle devait rendre un dossier en groupe d'ici les vacances de décembre, soit deux semaines plus tard et les vacances servi-raient à rattraper la sociologie.

– J'ai mal à la tête, murmura Émilie en se massant les tympans.

Baptiste, la tête posée sur la paume de sa main, chancelait dangereusement vers le sommeil. Sa gueule de bois devait être encore pire que la sienne.

– T'es sûr ? demanda-t-il.

– Bah oui, c'est ma tête.

Quelques regards se posaient sur eux. À croire que, petit à petit, elle était devenue l'indésirable bavarde de l'amphi. Mourir en héros ou vivre assez longtemps pour devenir le méchant, comme disait l'adage. Émilie mâchonnait le bout de son stylo pour se maintenir éveillée.

– Hiro pense que l'an prochain ça sera sportif, les grèves.

– Possible. Ça s'en va et ça revient, c'est fait de tout petits riens...

Émilie gloussa. Pourtant, l'idée d'une année de blocus ne l'enchantait pas. Si déjà aujourd'hui elle payait les conséquences de son manque de travail, qu'allait-elle devenir l'année prochaine ? Sans aucun enseignant pour signaler sa baisse de rigueur, elle ne parvenait pas à trouver le rythme. Ses notes de milieu de trimestre témoignaient d'un début d'échec. Au moins, puisqu'elle ne travaillait plus, elle avait le temps de prendre le problème au sérieux, à défaut d'arriver à le résoudre.

Le cours à peine terminé, Émilie se pressa jusqu'à la bibliothèque.

Sans surprise, aucun des membres de son groupe de travail ne l'attendait. L'étudiante s'installa sur la table vide et sortit ses affaires. Le titre de leur devoir la narguait sur toutes les feuilles : conserver la motivation sur le long terme dans un contexte scolaire.

Il fallait faire le bilan des recherches déjà menées sur le sujet et analyser les résultats. Un exercice assez complexe, particulièrement quand ses camarades abandonnaient l'université petit à petit. Émilie prit une grande inspiration et se mit au travail, non sans avoir tapé un petit coup de gueule sur la conversation commune de *Snapcha*t. Le seul texte valable qu'Émilie réussit à se procurer était une étude sur les écoles primaires américaines, rédigée en anglais. Sauf qu'elle ne comprenait pas l'anglais universitaire et le texte aurait bien pu être en chinois. Peut-être que Hiro pourrait lui traduire, à l'occasion, mais, quand bien même, il fallait se rendre à l'évidence : elle allait passer des nuits entières sur ce dossier. Ou alors, quitte à échouer lamentablement... Non. Elle allait rendre un devoir excellemment parfait.

En face, loin de tout ce stress qui s'accumulait, Baptiste lisait l'autobiographie de Sartre.

– Puisque tu fais rien, tu pourrais m'aider ?

Baptiste lâcha son livre :

– Demande plutôt à Benjamin, celui en master. Je ne suis allé à aucun cours avant ce matin.

– Je sais pas comment tu fais pour être aussi désinvolte. Les partiels arrivent !

– C'est pas comme si je comptais réussir. Finalement la psychologie c'est beaucoup de chiffres. Presque comme de la science. – Il sortit alors de son sac un livre de Georges Sand – J'en apprends plus sur l'être humain là-dedans.

Émilie soupira.

– T'es pas aidant aujourd'hui.

– Non. Sarah et son nouveau copain Kévin sont en train de forniquer à l'appart' en ce moment même.

D'où sa présence à l'université. Depuis qu'il ne travaillait plus à Mcdo non plus, Baptiste sortait rarement de chez lui à moins d'avoir une très bonne raison de le faire. Émilie s'approcha, passa son bras autour du cou du colosse et lui grattouilla le crâne. Baptiste referma ses bras autour d'elle et la serra contre lui.

– Tu sais, il y a plein d'autres filles. Tu pourrais essayer… Tinder ?

– Je vois pas de quoi tu parles. Je suis juste blasé d'être mis à la porte de chez moi.

– Si tu le dis. Tu devrais suivre Hiro dans ses machins de bâtiments abandonnés, ça te ferait du bien.

– C'est vrai que tout ce qui manque à ma vie c'est de penser à ma mort inéluctable.

La tristesse de Baptiste lui donna une bonne raison de ranger ses affaires et de sortir de la bibliothèque. Ils descendirent les escaliers extérieurs et le froid s'engouffra sous leurs vêtements. Si le temps l'avait permis, elle serait allée se baigner dans la fontaine, comme à son premier jour. Elle repensait parfois à cette sensation grisante. Ce bonheur brut.

Baptiste décrocha son téléphone à mi-chemin vers le métro, laissant Émilie seule avec ses souvenirs. Comment s'appelait l'autre fille avec qui ils étaient ? Elle ne l'avait jamais revue.

– On a un problème, fit le colosse en posant une main sur son épaule. Sarah a un problème.

Il haletait comme s'il venait de courir. Sa main tremblait, son visage blanchissait.

Baptiste ne prononça pas un mot de tout le trajet. Il s'était changé en une montagne de glace, crispé jusqu'au plus petit de ses muscles. Son regard de miel paraissait capable de tuer quiconque oserait le croiser. Arrivé devant l'appartement, Baptiste ouvrit la porte brusquement. Sarah était sur le canapé, allongée en position fœtale. À la télévision, Doctor Who. Pendant un bref instant, cette scène aurait pu ressembler à un mardi normal, si ce n'est l'ambiance étrange qui planait dans l'air. Baptiste ne prit pas la peine d'enlever son manteau, allant directement voir sa colocataire sur le canapé.

Quand Sarah releva la tête, Émilie vit le rouge de ses yeux et, sur la pommette, le début d'un bleu, caractéristique d'un coup. Au bruit dans la cuisine, le colosse se releva d'un bond. Hiro fit son apparition, une poche à glace dans la main, blême aussi.

Sarah se l'appliqua sur le visage avec une grimace.

– Tout le village est rassemblé on dirait. C'est bien, j'ai appelé que Baptiste.

Émilie se mordit l'intérieur de la joue. Elle non plus ne savait pas ce qu'elle faisait là. Comme toute personne normalement constituée, elle s'inquiétait pour Sarah mais elle avait aussi conscience de ne pas être assez proche d'elle pour partager ce moment.

– Excuse-moi de rentrer d'un entretien d'embauche, fit Hiro en râlant. La prochaine fois je continue à pas payer le loyer.

Contre toute attente, Sarah se mit à sourire.

– J'ai un service à demander à Baptiste et je ne veux répondre à aucune question.

– Ça tombe mal, j'ai besoin de savoir ce qu'il t'a fait.

Baptiste posa un genou au sol. Ses grandes mains tenaient celle de Sarah. Il avait arrêté de trembler. Elle recommençait à pleurer.

– C'est tellement… J'ai pas envie d'y repenser. S'il te plaît. Tout se passait normalement et d'un coup…

Sarah s'essuya les yeux. Émilie se tenait dans un coin, le plus loin possible de ce qu'il se déroulait. Il devait y avoir une bonne réaction à avoir. Un comportement rassurant sans être oppressant. Des phrases capables de diminuer son traumatisme évident. Si de telles choses existaient, elle ne les connaissait pas.

Sarah raconta toute l'histoire dans le désordre, avec toutes les hésitations attendues. Kevin et elle s'étaient retrouvés à l'appartement, tout se passait normalement, jusqu'à ce que Sarah sente que quelque chose n'allait pas. Son copain avait enlevé le préservatif pendant le rapport, Dieu seul savait comment. Il avait nié jusqu'à ce que l'éjaculation l'accable. Ils s'étaient disputés.

– C'est à ce moment qu'il t'a frappée ?

– Quand il a appris que je ne prenais pas la pilule. Il a dit que je l'avais piégé, il m'a fait ça et il est parti.

Baptiste se releva, doucement. Il passa sa main dans ses cheveux, lissa les plis de son manteau. La lenteur de ses gestes était plus inquiétante encore que la rage qui l'animait plus tôt. Il regarda sa montre.

– À cette heure il doit être sur son lieu de travail, dit-il. Sarah ne dit rien. Elle n'essaya pas de l'arrêter quand il retourna vers la porte. Personne ne fit un geste pour l'empêcher de partir.

Quelques minutes plus tard, quand Émilie fut sûre de ne plus pouvoir le rattraper, elle prit enfin la parole.

– Je vais chercher ce qu'il te faut à la pharmacie. Après, on fera ce que tu voudras de la soirée. Aucune question supplémentaire, aucun commentaire.

L'air extérieur lui fit le plus grand bien. Elle sentit les larmes lui monter aux yeux. Elle se retint de craquer, par respect pour Sarah qui avait besoin de leur soutien.

Le pharmacien se montra très professionnel et lui expliqua toutes les consignes d'utilisation, les effets secondaires. Émilie écoutait attentivement pour pouvoir tout répéter plus tard, paya et fit marche arrière sous le regard accusateur de quelques prudes de la file d'attente. Bande de débiles. Les portes coulissantes se refermèrent derrière le doigt d'honneur qu'elle brandit à la bien-pensance.

À son retour, Hiro l'attendait au pied de l'immeuble, une cigarette dans la bouche.

– Tu ne devrais pas laisser…

Hiro l'attrapa brusquement par les épaules et la tira dans un coin de la cour intérieure. Elle jeta sa cigarette à peine entamée et la regarda droit dans les yeux.

– Tu peux me faire confiance, tu le sais, ça ? Je ne te ferai jamais de mal, je ne te trahirai jamais. Peu importe la situation.

Charlotte est une connasse, Kévin une raclure de bidet et l'humanité se porterait mieux sans eux.

Émilie caressa le contour de la mâchoire serrée de la japonaise.

– Hiro… Si j'ai une certitude en ce moment, c'est bien celle-là.

La japonaise s'écarta soudain, l'esprit occupé ailleurs.

– On aurait dû arrêter Baptiste, ça va rajouter des problèmes.

– Qu'est-ce que tu veux qu'il fasse… Il ne va pas le tuer. En attendant, notre rôle à nous, c'est de tenir compagnie à Sarah. On verra à son retour.

Hiro resta encore un moment au pied de l'immeuble, le visage contracté par le doute. Contrairement à Émilie, elle connaissait le côté sombre de Baptiste.

Kevin ne put rien faire contre l'ours qui l'attrapa par les cheveux et le fit passer par-dessus le comptoir de l'accueil. Les clients de l'hôtel de luxe assistèrent éberlués à cette rixe dont l'avantage ne faisait aucun doute. Baptiste lui décrocha la mâchoire d'un coup de sa grosse patte et s'acharna sans que personne n'ose arrêter le titan. L'agent de sécurité, par obligation salariale, se lança à l'assaut et fut renvoyé d'un coup de coude. Il fallut trois employés pour l'éloigner une seconde de sa cible.

Kevin chercha à partir en courant, laissant derrière lui une traînée de sang.

Un mois qu'il se retenait de justesse de lui refaire le portrait à ce petit merdeux. Un mois qu'il fréquentait Sarah et que

Baptiste sentait qu'un truc ne tournait pas rond. Il n'y avait qu'une seule règle à respecter, une toute petite règle d'honneur. Ne pas profiter d'une femme dans son intimité.

Baptiste parvint à se libérer de l'emprise des trois employés d'un coup d'épaule. Il attrapa facilement le lapin en fuite et le plaqua contre un mur. Avec son poids plume, il n'eut aucun mal à le soulever par le cou jusqu'à ce que ses pieds ne touchent plus le sol. S'il le voulait, il pouvait peut-être même craquer ses cervicales, en serrant plus fort...

Une force inconnue le plaqua contre le carrelage. Dans l'élan du moment, Baptiste adressa un crochet du droit à ce parasite en bleu. Un coup de matraque dans la nuque l'arrêta pour de bon. Le colosse eut juste le temps de sentir les menottes se refermer sur ses poignets avant de s'évanouir.

Baptiste ferma les yeux et se concentra sur sa respiration de façon à faire abstraction du bruit environnant. Des années de sophrologie et de méditation à canaliser son caractère violent pour finir ici, dans cette minuscule pièce, lugubre et insalubre. Lui qui s'était pourtant juré, après un énième écart de conduite en 2013, qu'on ne l'y reprendrait plus.

Les premières heures, il croyait encore que le sacrifice en valait la peine et que deux tours d'horloge enfermé n'était qu'une maigre punition pour le plaisir de lui avoir collé la peur de sa vie.

Baptiste avait surestimé sa force mentale. Sa tête faisait un mal de chien. Les néons lui crevaient les yeux alors qu'il tombait de sommeil. Il n'avait nulle part où s'allonger — à part ce matelas immonde qui grouillait de puces. De toute façon, il se retenait d'uriner depuis trop longtemps pour dormir. Son voisin de cellule gueulait depuis au moins une heure. Rien d'intelligible ne sortait de sa bouche depuis qu'il avait fait le tour de son répertoire d'insultes. Depuis, il gueulait. Parfois, il beuglait et, de temps en temps, il reprenait sa respiration. Baptiste n'aurait pas cru tomber sur un malade mental dans la réalité. Le coup du voisin de cellule qui hurlait à la mort n'était donc pas un cliché de cinéma pour créer le malaise. Lui aussi voulait hurler. Parce que tout seul, dans sa toute petite cellule qui puait la pisse, sans personne à qui parler, il fallait trouver de quoi s'occuper.

Quand il ne pensait plus à l'endroit où il se trouvait, Baptiste essayait de se souvenir s'il avait frappé ce flic ou non. Sur le moment, il voulait seulement rejoindre Kevin pour lui donner un dernier petit coup. Dans l'émotion, il aurait pu. Pas sûr que sa sincérité face au procureur le serve.

– Je voulais seulement blesser Kevin et je n'ai visé personne d'autre. S'ils se sont pris un coup, c'est un accident malencontreux et j'en suis le premier désolé. Je reconnais m'être débattu quand on m'a plaqué au sol, oui, mais sans intention de violence à l'égard de la personne concernée qui ne faisait que son travail. Quand j'ai reconnu son uniforme, j'ai immédiatement arrêté de bouger.

Baptiste avait à peine menti, juste assez pour contrebalancer un éventuel discours exagéré de l'autre côté de la barre. Mais s'il avait vraiment donné le coup de poing dont il pensait se souvenir, alors... Il y avait ce coup de matraque de son côté.

Justifié, certes, mais dont la commotion cérébrale, certifiée par le médecin, pouvait équilibrer la balance... ou pas. La justice ne condamnait jamais la violence policière, même dans les abus mortels. Théo, Adama, Rémy Fraisse. Bref, il devait penser à autre chose.

Sarah devait l'attendre. Elle avait un service à lui demander, non ? Quel con. Baptiste se couvrit le visage de ses mains. Quel gros con décérébré ! Il n'arrivait même pas à culpabiliser tant sa tête le lançait.

Le voisin arrêta de hurler, Baptiste put prendre la relève et demander l'accès aux toilettes. Deux heures plus tard, un gaillard aux épaules larges ouvrait la porte de sa cellule. Le colosse faisait une tête de plus que lui. Comme souvent, son interlocuteur gonflait le torse pour se faire plus imposant. Baptiste se voûta. Inutile de leur donner la moindre raison de le croire menaçant.

Après cette promenade, une accalmie régna dans le commissariat et Baptiste put dormir un peu, la tête contre le mur. À son réveil, de longues heures l'attendaient. Il commençait à en avoir marre d'être seul avec ses pensées. Chaque seconde semblait durer une éternité.

Pourtant, un jour, la garde à vue arriva enfin à son terme et il put récupérer ses affaires, à commencer par son élastique. Alors qu'il se refaisait en hâte un chignon, on l'appelait de l'autre côté de l'accueil, côté police.

– Balou, attends !

Baptiste s'arrêta. Il n'avait pas entendu ce surnom depuis une éternité. Qui était cette grande brune qui marchait à grands pas vers lui, avec son ecchymose sur la mâchoire ? Ses yeux verts perçants lui rappelaient quelque chose.

– C'est fou qu'on se retrouve ici. T'as tellement changé que sans ton nom je t'aurais jamais reconnu. Pas faute de t'avoir vu de très près pourtant.

La policière pointa sa mâchoire du doigt. Baptiste blêmit. Non seulement il avait bel et bien frappé un policier mais, en plus, une femme. Sur son menton, deux grains de beauté.

– Cassandra ! Terminal L ! Je me souviens de toi. Si tu savais comme je m'en veux de t'avoir fait du mal !

– Pour toutes les fois où je boudais parce que tu ne voulais pas t'entraîner avec moi, je commence à comprendre pourquoi.

Une vague de souvenir déferla dans son crâne lancinant. Cassandra voulait déjà entrer dans la police à l'époque et, Baptiste étant le plus grand de la classe, elle profitait souvent du cours de gym pour chercher la bagarre et se préparer à arrêter les grands méchants. En gentil garçon acnéique, il acceptait régulièrement de jouer les punching-balls mais jamais les bourreaux, de peur de manquer de self-control.

– Bref, reprit-elle. Je voulais juste te dire qu'il n'y aurait pas de poursuite de ma part. Mais j'aimerais que tu me promettes que tu vas te faire suivre par un professionnel. Tu ne peux pas régler tes conflits par la violence à ton âge. Ok ?

Impossible pour Baptiste d'admettre qu'il avait eu de la chance de frapper une vieille amie et que celle-ci ne soit pas rancunière. L'humiliation de ce moment surpassait de très loin la peur de la prison et tout ce qu'il avait pu ressentir jusqu'à ce jour.

– Oui.

– Tu me tiendras au courant, fit-elle en entamant une marche arrière. Là faut que je retourne bosser.

– Cass ! appela Baptiste juste avant qu'elle ne disparaisse.

– Quoi ?

– Euh… Beau plaquage. Je suis content que tu aies réussi.

Cassandra pointa son front en souriant.

– T'as pas changé à l'intérieur. C'est chouette.

Dehors, un petit comité l'attendait. Hiro, Émilie et Sarah mangeaient des m&m's en regardant quelque chose d'hilarant sur un téléphone. Baptiste s'approcha à pas de loup et, ne les voyant pas réagir, signala sa présence :

– Ah bah ça va, vous vous êtes pas trop inquiétées, ça fait plaisir.

– Mais c'est une compilation de chats qui se cassent la gueule ! Regarde !

Émilie lui montra l'écran de l'iPhone mais Baptiste détourna les yeux. Sarah lui tendit le paquet de chocolats :

– Hiro a dit que t'avais sûrement pas mangé parce que c'est dégueulasse la bouffe là-bas.

– C'est vrai qu'elle s'y connaît en garde à vue.

– Surtout en cellule de dégrisement, intervint l'intéressée. Et pour rien au monde j'y retourne.

– Enfin, tout ça pour dire. Merci d'être venues mais là j'ai juste envie de prendre une douche et de dormir. On se voit un autre jour.

Sarah sauta du muret où elle était assise et salua le reste de la bande. Baptiste entama la marche en se massant le crâne. Son corps entier n'était que courbatures.

– Je me sens tellement bête. Tu dois m'en vouloir de t'avoir laissée.

– Tu as fait ce que je n'aurais pas eu la force de faire. Alors, malgré les conséquences, je suis reconnaissante.

Les colocataires marchèrent un moment en silence. Baptiste se tortura l'esprit pour trouver une bonne manière de lancer la conversation. Sarah prit l'initiative :

– Ça va aller. Pas tout de suite mais dans quelque temps. Il faudra faire quelques tests puisqu'un mec comme ça peut traîner toutes les maladies du monde mais, en attendant d'avoir les résultats, ça va aller. Hiro est allée parler avec Kevin. Il paraît que tu lui as vraiment éclaté la tronche.

– Ouais, je l'ai pas loupé…

– Il ne porte pas plainte. En échange moi non plus.

Baptiste s'arrêta de surprise. Il fixa un instant Sarah, comme si elle allait se mettre à rire et avouer la mauvaise blague. Voyant son sérieux, il se reprit :

– Ne la retire pas. Je préfère lui payer un nouveau visage plutôt que de savoir qu'il ne subira pas les conséquences de ses actes.

– Et moi je préfère garder mon coloc'. Tu lui as fait payer aujourd'hui une faute contre laquelle il aurait été jugé dans plusieurs années, voire jamais.

– Mais…

– C'est ma décision.

Baptiste prit une grande inspiration, jurant encore une fois qu'on ne l'y reprendrait plus. Jamais.

14

Émilie se réveilla en sursaut, sa gorge émit un grouinement de cochon. Elle mit plusieurs secondes à reconnaître sa chambre et un peu plus à identifier le petit bruit qui l'avait tirée de son sommeil. Elle attrapa son téléphone. La voix guillerette de Hiro lui vrilla les tympans.

– Coucou, c'est moi. C'est juste pour te dire que je rentre.

– Il est 6 h.

– Oui, désolée. Je t'avais promis d'être là à ton réveil.

– Ça aurait pu être jouable si tu venais pas de me réveiller.

– Ah… Euh… ouuuuuuuh, cette conversation est un rêve, reeeendoooors-tooooi.

– À tout de suite.

Émilie se rallongea, parfaitement alerte désormais. Elle resta sur son téléphone à parcourir les réseaux sociaux, pour passer le temps. Quand la porte s'ouvrit, elle jeta le téléphone sur le côté et ferma les yeux. Autant que possible l'étudiante essayait de rester immobile, comme plongée dans un sommeil profond.

Hiro s'assit au bord du convertible, caressa doucement la nuque d'Émilie et se pencha en avant pour l'embrasser. Sa peau était encore froide de l'air extérieur et, d'après son haleine mentholée, elle avait pris le temps de se brosser les dents.

– J'te jure, j'étais prête à partir à la fermeture du bar et là t'as Vince qui m'a proposé…

– Qui ça ?

– Vincent, le frère du cousin de Benjamin. Tu le connais.

Émilie fronça les sourcils. Elle voyait qui était Benjamin, mais, par contre, le frère du cousin… C'est-à-dire son autre cousin ? Non, si Hiro avait précisé, ce devait être un demi-frère ou un titre qu'ils se donnaient. Ou alors… Bref. Elle s'en fichait un peu, en fait.

– T'as passé une bonne soirée ?

– Passable.

Hiro enlevait enfin son écharpe et son perfecto. Pour quelqu'un qui rentrait avec le premier métro, elle était étonnement alerte, du moins, elle semblait l'être. Hiro se laissa tomber comme une masse dans le lit.

Ce travail l'épuisait un peu plus chaque jour, à force d'heures supplémentaires et d'horaires en grand écart. Émilie attrapa l'une de ses mains pour en observer l'évolution. Des mains calleuses, rêches et striées de petites cicatrices. Sur une phalange de l'index, une petite éraflure s'étendait, jour après jour. Hiro lui avait expliqué que son os raclait le bord des verres quand elle les essuyait et que, à force d'effectuer le même geste, elle perdait des morceaux de peau. Elle devait alors continuer de frotter sa plaie à vif, à défaut de pouvoir lui laisser le temps de cicatriser. Ses petites blessures, certes minimes, lui rappelaient l'horreur de son passage à McDonald's et toutes les douleurs que son corps ne montrait pas. Mal au dos, aux pieds, aux articulations. Mal à la dignité, souvent.

Émilie embrassa cette pauvre main maltraitée. Hiro ne s'en plaignait jamais. Son stoïcisme pouvait être celui de l'habitude au mieux, la crainte du chômage et de la pauvreté au pire. Redressant la tête, l'étudiante tomba sur une Hiro bien éveillée. Elle la fixait en silence.

– Quoi ? demanda Émilie un peu gênée.

– Tu es magnifique, c'est tout.

Émilie sentit ses joues virer au rouge. À ses yeux, ces moments de quotidiens valaient tous les rendez-vous romantiques du monde. Parce que Hiro n'avait pas besoin de faire le moindre effort pour emballer son cœur et égayer sa journée. Comme une ancre dans une mer déchaînée, un phare dans la nuit.

– Je t'aime.

Une petite expression si simple et pourtant si difficile à dire la première fois, souvent bloquée au fond de la gorge jusqu'au bon moment, celui où elle semblerait enfin couler de source.

Hiro lui répondit à sa manière, d'un baiser passionné qui laissait passer plus que les mots et l'enveloppa tout entière de sa chaleur, de son odeur, de son amour. Et son corps la recouvrit de caresses, sa peau dénudée contre la sienne. Et ses lèvres s'aventuraient sur ses courbes, chastes ambassadrices de son message d'amour.

Puis, le feu d'artifice. L'explosion qui trouvait toujours le moyen de la surprendre par son intensité et qui la laissait hagarde, les poings serrant les draps, à se demander comment une sensation si puissante pouvait exister sans la tuer. Hiro, allongée à ses côtés, cherchait à reprendre son souffle. Et la seule vision de son visage suffit à donner à Émilie l'envie de la posséder encore une fois.

Les vibrations du téléphone les réveillèrent au lever du jour. Hiro décrocha, Émilie souffla :

– On est au XXIe siècle ; envoyez des SMS comme tout le monde.

– Allo, Monsieur Pons... hmm... d'accord... hmm... oui... 11 h. Comptez sur moi. À toute à l'heure.

Hiro souleva la couverture et fit quelques pas hésitants, fébrile.

– Il faut que j'y aille. Momo est malade.

– Mais, se retourna Émilie. C'est ton jour de repos... T'as même pas eu le temps de dormir.

Le sourire qu'affichait Hiro accentuait ses cernes.

– Ce ne sera pas la première fois. Ni la dernière.

– Tu n'es pas obligée de lui dire oui à chaque fois, tu sais. Il te pousse largement au delà des 35 h et ce n'est même pas légal de travailler sept jours par semaine.

Hiro récupéra ses vêtements au sol. Le haut découvert de

son dos laissait voir la tête de son tatouage. Le phénix rougeoyant dont les ailes déployées se fondaient avec ses omoplates.

– Les lois sont écrites pour que les riches dorment l'esprit tranquille. Je remplace un congé maladie, il ne va pas renouveler mon CDD et je ne sais pas combien de temps je vais mettre pour trouver autre chose. Toutes les heures que je peux faire sont bonnes à prendre.

Hiro disparut dans la salle de bain le temps d'une douche rapide. À son retour, propre, coiffée, maquillée, Émilie n'avait pas bougé.

– Tu devrais voir le côté positif, reprit-elle. Tu as le temps de réviser en paix et je serai au chômage à la fin de tes partiels.

L'étudiante répondit par une moue dubitative. Comptait-elle vraiment réviser un dimanche, seule dans son appartement de 20 m² avec sa PS4, sa DS, son téléphone et son ordinateur portable à disposition ? Il fallait bien. Si Hiro trouvait la foi de repartir gagner une poignée d'euros, elle pouvait apprendre par cœur quelques notions.

Pour mettre toutes les chances de son côté, Émilie prit rendez-vous avec Sarah dans un bar à chat du centre-ville. Émilie se désinfecta les mains au gel hydroalcoolique avant de patouner celui qui dormait sur le bureau de l'accueil. L'employée, respirant le calme et la joie de vivre, l'invita à s'asseoir dans l'entrée car la cave était pleine.

Les petites tables en bois et les bruits environnants offraient autant de conforts qu'un foyer étudiant mais là, en plus, une petite boule de poils ronronnait à ses pieds. Pas étonnant qu'on lui ait qualifié l'endroit de « havre de paix ». Émilie sortit ses affaires, les entreposa sur la table et prit une photo pour les réseaux sociaux #dernièrelignedroite #révision. Elle attendit ensuite son binôme en scrutant les dernières publications de ses abonnements.

La porte d'entrée s'ouvrit sur une brune émaciée, au teint presque gris. Émilie lâcha son téléphone. Depuis l'incident du début du mois, Sarah semblait plus atteinte à chaque fois qu'elles se croisaient. Son déni avait vite laissé place au mutisme. D'après son colocataire elle ne dormait plus, ne mangeait plus et passait parfois des heures à nettoyer l'appartement. Plus étrange encore aux yeux d'Émilie, elle s'était mise à lui parler. Presque tous les jours, Sarah lui envoyait un message, parfois juste un meme.

Sarah commanda un chocolat chaud et sortit son propre trieur. Elles devaient être les deux seules étudiantes de l'université à ne pas utiliser d'ordinateur portable.

– C'est quoi ton programme pour aujourd'hui ? demanda-t-elle.

– Je dois envoyer le dossier de groupe par mail ce soir, il y a plus qu'à le relire.

– Toujours pas de nouvelles de tes collègues ?

– Audric a abandonné la fac pour entrer dans l'armée. Steph' répond plus depuis qu'elle m'a envoyé sa partie toute moisie.

– La première année c'est la misère, la rassura-t-elle. Après, on peut faire un peu plus confiance aux autres. T'as eu le temps de revoir sa partie ? Tu peux pas laisser son incompétence baisser votre note.

Émilie sortit son dossier d'une chemise et le tendit à son mentor qui l'étudia en détail. Elle surligna au marqueur les maladresses, les fautes, avec beaucoup de sévérité. Émilie serra la mâchoire en voyant son dossier bariolé. Elle avait travaillé si dur dessus et il fallait tout refaire. Sarah soupira avec mépris.

– Ça sert à rien que tu comprennes si tu n'arrives pas à te faire comprendre, dit Sarah.

– On perçoit l'idée, c'est vraiment la peine de s'attarder sur le bon mot ?

– J'en reviens pas que tu poses la question.

– T'es choquée parce que t'es une littéraire, tenta Émilie.

– C'est l'université. Je ne sais pas ce qu'on a pu te dire sur la question mais tu es en plein dedans. Le savoir n'est plus le truc que possède ton prof et que tu dois aspirer puis recracher. Le savoir existe en dehors de toi, de lui, de moi et ce qui compte c'est ta capacité à rassembler des petits morceaux de savoir pour en faire un nouveau et à le transmettre aux autres pour qu'ils l'utilisent à leur tour. Alors trouver la bonne formulation, c'est au moins la moitié du travail.

Émilie baissa les yeux.

– Tu vas y arriver, reprit Sarah. Il faut se donner le temps de rentrer dans le moule. D'ailleurs, l'erreur la plus fréquence chez les premières années, c'est de se gâcher les moments de repos à cause d'une mauvaise gestion du rythme. Tu termines en apothéose cette semaine et, ensuite, tu te laisses le droit de ne penser qu'à Noël.

– Noël… Tu parles d'une année.

Émilie ne voulait pas penser à son premier Noël sans sa mère, d'autant plus que cette année elle le passerait seule dans son appartement. Son frère allait chez sa belle-famille, son père avait d'autres plans. Elle trouverait de quoi s'occuper, peut-être une soirée avec Hiro mais un Noël sans famille avait quelque chose de profondément triste.

– Toi au moins tu ne viendras pas annoncer à ta famille, la queue entre les jambes, que tu arrêtes tes études à quelques mois de la fin et que tu rentres à la maison. Je ne pense même pas être capable de leur expliquer pourquoi je ne peux plus supporter d'être dans cette ville, ils ne comprendraient pas.

Sarah mordilla le capuchon d'un de ces stylos. Émilie se dit, tristement, qu'il y avait en effet pire situation que la sienne.

– Ce qui t'arrive n'est pas juste, siffla-t-elle entre ses dents.

– La vie n'a rien à voir avec la justice, répondit Sarah. Sinon, nous n'aurions pas besoin de nous battre autant pour l'obtenir.

15

Émilie entra se réchauffer dans l'appartement. De toute sa vie, elle n'avait jamais eu un tel besoin de décompresser. Ses premiers partiels l'avaient lessivée comme un bac qui serait suivi d'une deuxième année de Terminale.

Épuisée, l'esprit noyé par toutes les notions étudiées durant ces dernières semaines, Émilie naviguait entre les fêtards en distribuant des bises à qui les réclamait. On lui fourra une bière dans la main avec une tape sur l'épaule, on lui souhaita une bonne année avec une courte semaine de retard, puis on la laissa se mettre dans l'ambiance. Émilie se trouva une place sur l'accoudoir du canapé.

– Ça va Em' ?

– Je suis éclatée, laisse-moi deux minutes et je suis dispo.

– Tu veux peut-être un café au lieu d'une bière ?

Émilie adressa un petit sourire à Benjamin qui faisait de

même. Le masterant prit de ses nouvelles après ces vacances sans se voir.

– Révision, révision, Noël, révision, Nouvel An, révision.

– Ces premières années qui en font trop ou pas assez…

– Alors que ces si glorieux quatrième année savent tout sur tout, même ouvrir une bouteille avec un briquet.

Benjamin attrapa la bouteille tendue et la décapsula dans un soupire las.

– Qu'est-ce que vous feriez sans nous…

– Prions pour ne jamais avoir à le découvrir.

Émilie cherchait Baptiste des yeux pendant que son compagnon de soirée lui parlait de ses vacances d'hiver. Le colosse ne se trouvait pas là, pourtant ils étaient chez lui. Puisque Hiro travaillait, Émilie se donna la responsabilité de vérifier que la fête se passait dans les règles de l'art. Personne ne touchait à la playlist, aucun abus d'alcool à déplorer, pas de comportements dangereux. Bien. Toutes les discussions tournaient de près ou de loin aux études, même Benjamin qui, pour une fois, parlait de son mémoire sur le déterminisme sociale dans l'éducation. Puisqu'ils l'abordaient sous un angle qui se voulait objectif, elle y prêta une oreille attentive.

– … Il y a toujours un frein social à l'éducation, c'est un mensonge de faire croire que la simple volonté suffit pour rentrer à sciences-po. Mais c'est aussi affligeant de prendre l'information comme un acquis et de ne rien faire contre. Des statistiques montrent que la France est un des pires pays en la matière, ça veut dire qu'il y a meilleur.

– Tu penses aux pays scandinaves, par exemple ? Il y a une

corrélation entre migration et échec scolaire. Je pense que la réception des immigrés est bien plus responsable du clivage social que notre système éducatif.

– On ne peut pas tout mettre sur le compte des étrangers. Évidemment, c'est plus facile d'aider tes gamins à faire leurs devoirs quand tu parles et écris français, mais c'est justement sur ce genre de point qu'il faut faire un effort. Aujourd'hui, un enfant ne peut pas réussir sa scolarité s'il n'a personne pour l'aider le soir et les gens non diplômés n'ont pas les capacités de le faire ou l'argent pour payer un prof particulier.

– Je connais ces statistiques mais elles ne témoignent pas d'un certain nombre de variables sociables. Par exemple, parmi ces gens non diplômés, combien respectent l'école ? Aujourd'hui on entend de plus en plus de personnes dire que l'école ne nous apprend rien d'important et que les diplômes sont inutiles. De fait, nos hypothèses sont faussées tant qu'il n'y a pas une étude pour s'assurer que ce dédain pour l'éducation n'est pas plus en cause que les méthodes d'apprentissage.

– Méfie-toi plus du dédain des classes intellectuelles, car c'est peut-être bien plus une réponse agressive à l'injustice du système qu'une réelle opposition à l'éducation. Bizarrement, les gens que je connais et qui critiquent le système scolaire ne sont pas ceux qui gagnent le SMIC dans un boulot sans perspective d'évolution. C'est facile de cracher dans la soupe quand tu es plombier mais un plombier a un diplôme. Moi je te parle de ceux qui sortent du système sans le brevet alors qu'ils rêvaient de devenir véto. Pour ceux-là, il faut qu'on trouve des solutions et je pense que diminuer l'impact de l'origine sociale sur les résultats scolaires est un début. Encore faut-il qu'on mette la preuve chiffrée sous le nez de nos énarques.

Benjamin se tourna vers Émilie, soudain conscient de l'avoir laissée sur la touche.

– T'en penses quoi, toi ?

Émilie bafouilla. Parce que Benjamin était en master de sociologie et parce qu'elle respectait son intelligence, elle eut soudain peur de dire une bêtise. Petit à petit, à force de réfléchir au monde avec les nouveaux outils que l'université mettait à sa disposition, elle commençait à avoir un avis sur beaucoup de choses mais sentait la fragilité de celui-ci.

– Je pense qu'il y a aussi une dimension géographique. Le loyer se charge de segmenter les gens en fonction de leurs revenus et comme tous les pauvres sont ensemble, il n'y a pas le brassage de population nécessaire à ce que les enfants aient le choix de leurs modèles. Je veux dire, si machin grandit en cité, avec 25 % de chômage et tous ses proches qui occupent des emplois précaires, il ne pourra pas construire l'idée qu'une autre voie est possible. En conséquence il pourrait développer plus facilement un désintérêt pour le système scolaire et rechercher un enrichissement massif et rapide, accessible sans étude. J'imagine.

– Vrai, confirma Benjamin. D'autant qu'on y envoie que les jeunes profs, un peu contre leur volonté. Il faudrait des études pour voir l'impact des lois pour obliger la construction de HLM. Les villes créent des quartiers banlieues, je ne suis pas sûr que cela règle le problème. À voir en mélangeant les

échelles sociales dans un même immeuble, sur des apparte-
ments équivalents.

– Ce serait créer une injustice. Pourquoi une famille payerait
plein pot un appartement et une autre non, exactement au
même endroit. Et puis, je sais que ce n'est pas très Charlie ce
que je vais dire mais c'est vrai ; personne ne veut un pauvre
comme voisin. On observerait des comportements de rejet.

Benjamin râla, la tête penchée en arrière :

– Arrête un peu de prendre les gens pour des enfoirés, on ne
se délecte pas du malheur d'autrui.

– Il a pas tort, défendit Émilie. Enfin, je veux dire, c'est un
fait qui s'observe et qu'on peut expliquer par tout un tas de
biais cognitifs et d'erreurs d'attributions. Les gens se
conforment à la façon dont on les traite et s'enferment dans un
cercle vicieux. Ils ne savent pas comment se considérer dans
la société, les autres disent qu'ils sont voleurs, menteurs,
perdants jusqu'à ce qu'ils le deviennent. Peut-être que le
problème serait dans les programmes. Puisqu'on étudie des
héros nobles, de hautes lignées, des intellectuels privilégiés,
on n'offre aucune perspective à la jeunesse désœuvrée.

– Ça fait beaucoup d'angles d'attaques, sourit-il. Faut que je
m'en trouve un bien pour la thèse.

Émilie et lui passèrent une bonne partie de la soirée à
discuter des façons d'influer sur les tendances sociales depuis
leur échelle. Benjamin lui partageait ses connaissances, les
liens vers des articles qu'ils jugeaient incontournables et, assis
sur ce canapé, une bière à la main, ils s'amusèrent à refaire le
monde.

Quand Benjamin s'échappa fumer, elle profita de l'occasion pour aller aux toilettes. Trois personnes attendaient leur tour. Émilie se sentait à peine capable d'attendre si longtemps mais une tignasse rousse attira son attention dans la cuisine. Elle y trouva Baptiste, assis sur le plan de travail, une bouteille de vodka presque vide dans les mains.

– Ah bah t'es là ! dit-elle. Je commençais à me demander si tu étais parti de ta propre fête. Tu viens dans le salon ?

– Mais tu vas la fermer, ta gueule ?

Émilie n'en crut pas ses oreilles. Qu'est-ce qu'il venait de lui dire ? Elle lui demanda de répéter et, de sa voix grave et sombre, Baptiste s'exécuta.

– J'ai dit : casse-toi, grognasse.

Le colosse avala une grande gorgée de vodka. Cette dernière lui provoqua une remontée acide inquiétante. Émilie ferma la porte de la cuisine avant de se donner en spectacle et observa son ami plus en détail. En dehors du regard vitreux, des épaules voûtées et de l'équilibre incertain, Baptiste semblait tout à fait normal. Du moins, jusqu'à ce qu'il se mette à rire. D'un rire sifflant d'ivrogne.

– Regarde ta tête. Je rigole, ça va.

– Si tu veux. Et du coup, qu'est-ce que tu fais là ?

La bouteille brandie comme seule réponse, Baptiste en avala une rasade supplémentaire. Il n'en restait plus qu'un fond et Émilie pouvait avancer sans se tromper qu'elle était pleine moins d'une heure avant.

Voir son ami dans un tel état lui fit un effet bizarre. Un étrange malaise l'habita tout entière.

– Tu veux pas venir t'amuser ? Là j'ai l'impression que tu te morfonds.

– Non. Je sais même pas ce que je fous ici. Enfin, si, je pensais que voir du monde me ferait du bien mais pas du tout.

– T'as passé de mauvaises vacances ?

– J'ai pas envie de parler, Em'. D'ailleurs je devrais rentrer.

– On est chez toi.

– Mon vrai chez-moi, comme Sarah.

À l'écouter parler, Baptiste pouvait presque sembler lucide. Pourtant, tous les sens d'Émilie criaient au danger. Une nouvelle fois, il lui servit ce rire si différent de l'habituel et passa une main dans ses cheveux.

– Il lui aura fallu une journée pour se rendre compte qu'elle perdait son temps ici. Elle va s'inscrire dans un BTS informatique à Perpignan. C'est bien pour elle — Baptiste passa la paume de sa main sur ses yeux humides — Et moi je reste le bouffon qui regarde les autres avancer mais qui stagne.

– Tu n'es pas un bouffon.

– Oh, si, tellement. Dans tous les domaines. Mais ça va, laisse-moi me soûler ce soir et demain le gentil petit Balou sera de retour.

– Tu as beaucoup trop bu.

Émilie s'approcha pour attraper la bouteille presque terminée mais Baptiste la repoussa. Si brusquement qu'elle s'écrasa lourdement contre le frigo.

D'absent, son visage se fit méchant, presque effrayant. Où était passé le gentil nounours habituel ? Émilie sentit un frisson lui parcourir la colonne vertébrale quand il se leva pour lui faire face et poser son regard sur elle. Dans cette cuisine exiguë, Émilie dut se tordre le cou pour tenir tête au géant.

– Va-t'en, Émilie.

– Lâche cette bouteille.

– Tu n'as pas d'ordre à me donner. J'ai douze ans de plus que toi et je sais ce dont j'ai besoin.

– S'il te plaît.

– C'est le contexte qui te dérange ? Ça change quoi que je sois seul ou en groupe ? Le contenu est le même. Tant que je ne me souviens plus de mes problèmes, on se fiche de la méthode.

Plaquée contre le frigo, Émilie sentit son souffle s'accélérer en même temps que les battements de son cœur. Avec la sensation de froid et ce sursaut d'adrénaline, elle ne pouvait nier la peur qui l'animait au fond de ses tripes. Jamais elle ne s'était sentie si fragile et petite en sa présence.

– Ce n'est pas une question de solitude mais de résultat. Regarde dans quel état tu es !

– Qu'est-ce qui te prend à la fin ? Tu m'as déjà vu bien plus déchiré que ce soir.

– Non, c'est faux. D'habitude tu es drôle et mignon alors que là tu es vulgaire, violent et pathétique. Tu me fais peur.

Baptiste resta interdit un moment. Il posa la bouteille sur le plan de travail où il était précédemment assis.

– Je ne te ferais jamais de mal.

– Je ne te crois pas.

Les sourcils froncés, Baptiste sembla peiner à comprendre. Émilie profita de ce moment pour se calmer un peu.

– Si tu te sens tellement mal dans ta vie, si tu as à ce point l'impression de stagner alors pars aussi. Quitte Jean-Jaurès, quitte Toulouse s'il le faut et trouve ta place. Fais n'importe quoi tant que tu ne restes pas dans cette zone de confort où tu te vautres royalement.

Accroché au meuble pour se maintenir debout, Baptiste accusa le coup de ses quatre vérités en même temps que la gorgée de trop. Ces derniers neurones venaient de griller durant cette discussion beaucoup trop intense pour lui.

– Va dormir. Demain, on réfléchira sérieusement à tes projets de vie. Tous ensemble.

Après un hochement de tête, Baptiste s'appuya sur Émilie pour quitter la pièce. Le colosse se transporta presque tout seul jusqu'à la chambre. À peine allongé, de sérieuses nausées lui provoquèrent un spasme. Adieu les traces de lucidité, son statut d'épave ne faisait plus débat. Elle l'installa sur le lit en position latérale de sécurité, la main sur la joue, une jambe relevée et alla chercher une bassine.

– Moi qui venais me détendre, dit Émilie en se massant la nuque. Je suis encore plus crispée qu'avant.

L'étudiante resta un moment à surveiller son ami et, voyant qu'il survivrait, retourna dans le salon où la fête battait son plein.

La porte s'ouvrit sur le premier départ et le dernier invité entra. Hiro enleva son bonnet mais n'eut pas le temps de se délester de son blouson avant qu'Émilie ne se jette à son cou.

Hiro resserra ses bras autour d'elle. Voilà. Plus de stress pour les partiels, plus d'inquiétude pour quoi que ce soit, juste le bonheur de la retrouver. Cinq longues journées sans se voir, presque 168 heures, une éternité en temporalité d'amoureuse transie. Un instant, Émilie eut envie de lui proposer de rentrer tout de suite à l'appartement pour se regarder une connerie à la télé en mangeant du Nutella, juste pour le plaisir de savourer la solitude à ses côtés. Hiro l'embrassa langoureusement, sans se soucier des regards amusés de leur public.

– Tu m'as manqué.

– Tu terminais pas à la fermeture ?

– Pour mon dernier jour il m'a lâchée en avance. Me voici donc officiellement chômeuse.

– Je devrais être triste qu'il n'ait pas renouvelé le contrat mais… non, désolée, je suis ravie de te récupérer.

– Moi aussi, fit Hiro dans un grand sourire. On reste pas trop longtemps, hein ? Juste histoire de fêter ma liberté retrouvée. Je suis claquée.

– D'accord. Et faudra qu'on parle de Baptiste aussi, plutôt demain.

Hiro suivit Émilie dans la masse des invités qui, entraînés par l'alcool, commençaient enfin à danser.

La soif réveilla Émilie aux premières lueurs du jour. La bouche pâteuse, elle essaya de se lever malgré un mal de crâne affreux. À ses côtés, Hiro grommelait dans son sommeil dérangé. Le salon souffrait des excès de la veille. D'habitude d'une propreté excessive, le sol était jonché de cadavres de bouteilles et de mégots de cigarette. Émilie se promit qu'un jour, elle rentrerait vraiment tôt d'une soirée. Un jour béni où elle ne raterait pas le dernier métro et où elle se réveillerait chez elle, parfaitement reposée.

Émilie évita tous les pièges jusqu'à la cuisine où elle se servit un verre d'eau. Le ciel, gris, laissait présager des températures proches du négatif. Un temps à rester sous la couette toute la journée. Dans la rue, l'eau reflétait paisiblement les immeubles, comme si le canal du Midi venait de se déplacer à Saint-Agne. Les poteaux verts, à la base tronquée, rappelaient l'emplacement du trottoir immergé.

Émilie réalisa enfin ce qu'il se passait sous ses yeux. Une inondation.

Émilie, Hiro et Baptiste regardaient par la fenêtre ce spectacle fantasmagorique dont ils percevaient, minute après minute, l'ampleur réelle. D'aussi loin qu'ils pouvaient voir, l'eau recouvrait la rue d'une couche épaisse et uniforme.

– Vous pensez que le rez-de-chaussée est inondé ? demanda Baptiste en se massant le crâne.

– Je m'inquiète pour les caves surtout, fit Hiro. J'ai des cartons en bas.

– Il y a combien ? continua Baptiste. Pas plus de 30 cm, on voit la moitié des roues des voitures. Même pas dit que ça ait noyé le moteur. Avec un peu de chance, ma 306 va bien.

– Ça vient du métro, informa Émilie, son téléphone en main. Il y a eu un accident de canalisation dans la nuit. Le reste de Toulouse est au sec. C'est rassurant en quelque sorte, mais on fait comment pour enlever autant d'eau, on attend l'évaporation ?

– Non, c'est tous les chats errants qui viennent laper – Hiro se leva du canapé, pleine d'énergie – Sur ce. On descend ? C'est quand même pas un truc qu'on voit tous les jours.

– Tu vas marcher dans l'eau ? Fais gaffe, on dirait qu'il y a du courant.

– Oulala, quelle épreuve, j'en frissonne d'avance.

Émilie rit au cynisme et enfila ses bottines sans attendre. Malgré son mal de crâne lancinant, il n'était pas envisageable qu'elle passe à côté d'une balade dans une Venise au sud de la France.

L'eau ne devait pas dépasser les dix degrés et arrivait mi-mollet sur la route. Les filles y entrèrent sans beaucoup d'entrain, regrettant presque l'idée les premières minutes, le temps de s'y habituer.

– T'imagines, fit remarquer Émilie, si on était pas restées dormir, on aurait raté ça.

– Je sens que tu vas me ressortir l'argument la prochaine fois que tu voudras pas rentrer.

– Y a des chances.

Face à l'IUFM, juste à côté de la rame de métro, la petite crevasse que formait la route se gorgeait d'eau. La piscine de fortune pouvait accueillir une dizaine de nageurs, sans hésitation. Quelques mètres plus loin, sur la remontée, l'eau s'arrêtait brutalement et les passants curieux observaient le boulevard, téléphone en main pour immortaliser l'évènement. Hiro entraîna Émilie vers les immeubles. L'eau recouvrait le sol d'une pizzeria à l'angle de la rue et probablement d'autres bâtiments au ras du trottoir.

– Le pauvre, il va avoir une mauvaise surprise en arrivant.

– Si on nettoie vite, il ne devrait en rester aucune trace. Il paraît qu'il y a quelques années, au Mirail, les toilettes de l'Arche ont explosé et une cascade s'est répandue sur les trois étages. Deux jours plus tard, ce n'était qu'un souvenir.

– Ça devait être super impressionnant.

Émilie serra les dents pour ne pas grelotter trop fort. Une part d'elle voulait sortir de là au plus vite et se mettre au sec tandis qu'une autre n'avait pas contenté sa curiosité. Comme pour la féliciter de sa patience, un surfeur approcha. Debout sur sa planche, avançant grâce à une pagaie qui raclait le bitume, il les salua bien bas :

– Je peux vous conduire jusqu'à la berge, mesdemoiselles ?

Les deux filles n'hésitèrent pas une seule seconde.

À trois sur la planche, l'équilibre était plus que précaire. Chaque balancement d'un côté ou de l'autre faisait bondir le cœur d'Émilie qui se mettait alors à pouffer. Hiro s'accrochait à elle de toutes ses forces, ce qui n'arrangeait pas leurs affaires. Pour sa défense, les chaussures mouillées n'aidaient pas à trouver son équilibre.

– Tu nous emmènes par là ? J'ai trop envie de voir l'état du parc.

– Avec plaisir, c'est super de voir des filles aussi aventureuses. Je pensais être le seul à m'amuser de la situation.

– On compatit quand même.

– Oui, bien sûr. C'est un amusement très compatissant et

respectueux. Heureusement il n'y a pas trop de dégâts, à part la station de métro qui risque de fermer un moment. On continue le petit tour ?

Hiro jubilait. Dans la rue d'où elles venaient, une grande silhouette rousse leur fit signe. Baptiste leva le pouce comme un autostoppeur, les pieds au sec sur le palier de l'immeuble.

– Je peux monter ?

– Nan, fit Hiro, catégorique. C'est pas pour les fillettes qui ont peur de se mouiller.

– Quelle crevarde…

– Et quelle princesse !

Émilie attrapa la pagaie pour éclabousser le colosse qui, de surprise, lâcha un petit cri aigu. Les trois surfeurs du dimanche éclatèrent de rire. Baptiste se mit à sourire aussi mais avec beaucoup plus de malice.

De deux bonds précis, il fondit sur Hiro qui, accrochée fermement à Émilie, elle-même agrippée à leur chauffeur, bascula en arrière avec toute sa suite. L'eau glaciale transperçait la peau comme des milliers d'aiguilles. Foutu pour foutu, la vengeance ne tarda pas à arriver. Baptiste pouvait bien essayer de se lever, avec trois personnes pour le couler à chaque fois, son entreprise restait vaine.

La petite bagarre prit rapidement fin, quand le vent frais de l'hiver rendit le froid insupportable. Le trio quitta leur nouvelle rencontre sans s'éterniser et remonta dans l'appartement.

Baptiste, dépité, observa les filles assises sur son canapé à manger ses céréales, dans ses vêtements, un saladier rempli de riz pour éponger leurs téléphones sur la table basse. Elles flottaient dans ses chemises.

– Du coup… vous allez passer la journée ici ?

Son regard croisa celui d'Émilie qui baissa immédiatement les yeux. Après ce qu'il s'était passé la veille, elle ne tenait pas à rester trop longtemps avec Baptiste, pas avant d'avoir tout mis au clair dans sa tête.

– Je pensais aider les employés de la mairie, dit Hiro. Ce n'est pas une catastrophe naturelle qui passera sur CNN mais des gens risquent de perdre tous leurs biens si on ne fait rien.

Émilie la jaugea un moment avant qu'une lumière ne s'allume dans son regard. Pour une fois sa gueule de bois était minime, c'était l'occasion de compter. Elle hésita toutefois en se levant, quand une nausée la força à se rasseoir.

– On va les aider à notre rythme, hein.

Dehors, dans le froid hivernal, leurs chaussures spongieuses, elles traversèrent une dernière fois la rue inondée pour rejoindre la foule de curieux restés au sec, à la recherche de gilets jaunes. Un visage familier sortit de la foule.

Charlotte les regarda des pieds à la tête sans oser poser la question qui lui trottait visiblement dans la tête. Émilie se chargea de lui faire partager sa propre interrogation :

– Qu'est-ce tu fais là ?

– Je suis venue voir les dégâts. T'habites par ici ?

– Oui.

Un silence affreux s'installa. Tout ce temps sans se voir ni se parler s'immisçait entre elles jusqu'à en devenir presque tangible. Émilie ouvrit plusieurs fois la bouche sans trouver quoi rajouter. Hiro n'osa pas voler à leur secours. Au pied du mur, ne sortirent que de tristes banalités.

– Tu vas bien ?

– Un peu à cran à cause des exams. Toi aussi, je suppose.

– Oui.

Après tout ce temps à ruminer en silence son amertume, à s'imaginer dans cette situation pour lui jeter ses quatre vérités à la figure, Émilie ne ressentit rien d'autre que de la flemme. Elle restait plantée là, à se demander comment s'éclipser le plus vite possible pour rentrer chez elle. Savoir comment allait Charlotte, ce qu'il se passait dans sa vie en dehors de ses déboires amoureux ne l'intéressait pas. Et cette apathie la frigorifia plus que le vent frais de janvier. Si vite rayée de sa vie.

– Bon, au revoir alors.

Émilie ne s'attarda pas plus que nécessaire. Ses chaussures trempées couinaient à chacun de ses pas.

16

Émilie poussa un des plus longs soupirs de sa journée. Peu importe combien elle essayait, impossible de se concentrer plus de cinq minutes sur ses fiches. Commencer le second semestre juste après les partiels, sans pause, était un supplice.

– ... L'émotion est un sentiment subjectif qui affecte et est affecté par nos pensées, comportements et notre physiologie. Certaines émotions sont positives ou plaisantes, comme la joie et l'affection. Certaines sont négatives, comme la colère, la peur ou la tristesse.

Émilie leva la tête vers Hiro qui lisait par-dessus son épaule, ses lunettes rectangulaires sur le bout de son nez.

– Et bien, ça valait le coup de passer le bac pour apprendre ça.

– Il y a beaucoup de portes ouvertes dans ce cours, oui. Mais regarde plutôt ça.

La japonaise attrapa la feuille Bristol tendue, replaça ses lunettes et reprit sa lecture à voix haute :

– Approche Vygotskienne. Dichotomie –> capacité cognitive/milieu social, physique... Ça veut dire quoi dichotomie déjà ?

– C'est l'opposition nette entre deux éléments.

– D'accord... Selon Vygotski, il faut étudier la spécificité du comportement humain, qui consiste à la création en coopération avec d'autres, de moyens de subsistance via l'utilisation de moyens pour agir sur la nature : les outils. L'action de l'homme sur la nature n'est pas directe, immédiate mais médiatisée par des objets spécifiques socialement élaborés, fruits des expériences des générations passées... Je comprends pas ce que je lis, les tournures sont inutilement compliquées.

– Tu veux que je t'explique ?

– Non.

Hiro retourna dans le coin cuisine pour préparer le repas. Elle découpa une tomate en tranches qu'elle répartit dans un plat à tarte. Émilie s'approcha et, les coudes sur le bar, lui adressa une adorable petite moue.

– Tu trouves ça chiant ?

– Pas du tout. C'est juste cette manière tordue d'utiliser le langage. Une langue, ça sert à faire partager une idée et c'est vraiment débile de la modeler pour une élite intellectuelle.

Émilie s'étonna de la voir si sincèrement agacée par ce détail. L'espace d'un instant, elle se demanda s'il ne s'agissait pas d'une blessure d'orgueil et son hypothèse fut rapidement confirmée.

– Je maîtrise plus de langues que la plupart des gens. Le français n'est pas ma langue maternelle, c'est vrai, mais je la parle depuis ma naissance et je n'ai absolument pas besoin qu'on me traduise un texte.

– C'est vrai. Excuse-moi.

– Ce n'est pas de ta faute. Je te regarde t'esquinter les yeux sur des textes hallucinants de complexité pour conclure des banalités comme « une pulsion ne se contrôle pas ». Ils font pareil en politique. Des phrases et des phrases sans fin pour n'avoir absolument rien dit, dans l'unique but de séparer le pays en deux : l'élite et le petit peuple.

Voilà donc où se situait le problème en réalité. Entre les primaires socialistes qui approchaient, les affaires de Fillon, l'envol de Macron et la démagogie ambiante, tous les esprits s'échauffaient. Même Émilie se prenait parfois pour une économiste de renom et reprenait tous les spécialistes avec des solutions miracles.

– Tu as voté quoi il y a cinq ans ? J'ai aucune idée de quoi faire.

Hiro s'arrêta au milieu de la découpe d'une courgette, le sourire au bord des lèvres.

– Je te parle vraiment pas assez de moi, en fait. Je n'ai pas la nationalité française. Je voulais l'avoir mais il faut un paquet de papiers administratifs et je n'ai pas pensé à les prendre quand j'ai fugué.

Ce genre d'histoires choquait Émilie à chaque fois. Il lui paraissait tout à fait ridicule de ne pas donner la nationalité française à qui habitait sur le territoire et parlait la langue.

– Du coup, tu as une carte de séjour ?

Hiro hocha la tête sans comprendre d'où cette question pouvait venir, concentrée sur la découpe de ses légumes.

– Je peux voir ta tête ?

– Même pas en rêve. T'es pas la première à essayer.

– Elle est si moche que ça ?

– Y a surtout mon vrai nom dessus.

Les yeux d'Émilie sortirent de leurs orbites.

– Ton vrai nom ?

– Mes parents m'ont donné un prénom assez courant mais plutôt honteux à porter en France et comme à l'école on se foutait de moi à longueur de temps, je m'en suis trouvé un autre.

Si elle se dépêchait, Émilie pouvait prendre le portefeuille rangé dans son blouson et partir en courant avant de se faire attraper. Sauf qu'Hiro ne trouverait peut-être pas ça si drôle. Quel genre de nom honteux elle cachait ? Difficile de l'imaginer souffrir encore aujourd'hui des brimades de son enfance. Mais, après tout, Émilie ne savait pas grand-chose de son passé.

– Tu en veux encore à tes parents ? demanda Émilie.

– Plus depuis longtemps. Je ne suis pas très douée pour la rancune.

– Pourtant, ils sont partis sans toi. C'est affreux.

– Je suis partie la première, il ne faut pas inverser les rôles. Mes parents m'ont éduquée dans l'idée qu'il fallait assumer ses choix alors, d'une certaine manière, ils ont juste respecté ma décision.

– Tu as cherché à reprendre contact ?

– Bien sûr. Ma mère a démissionné de son agence et mon père est free-lance. Ils peuvent être n'importe où dans le monde.

Hiro enfourna le plat. Son visage ne témoignait aucune tristesse, aucune nostalgie mais elle devait bien en ressentir, au fond. Elle ne laissait juste pas Émilie atteindre ce niveau d'intimité.

– Je passe à l'appartement me chercher des vêtements de rechange, reprit la japonaise. Je reviens d'ici une heure et on passe à table ?

Émilie se souvint alors d'un détail qui traînait chez elle depuis quelques jours. Elle demanda à Hiro de l'attendre et sortit du tiroir de son bureau un petit morceau de métal. Son cœur s'emballa quand elle lui tendit. Hiro fixa cette petite clé sans réagir, accentuant la déception de sa petite amie.

– Si tu veux ça peut ne rien vouloir dire, se protégea l'étudiante.

– Je réfléchis, coupa Hiro en relevant la tête. Ne le prends pas mal, j'ai très envie de te dire oui.

Le soulagement libéra toutes les tensions de son corps. Émilie voulait lui sauter au cou mais se retint, en attendant le rebondissement qui continuerait à lui provoquer ce désagréable ascenseur émotionnel.

– Mais… ?

– T'es d'accord pour dire qu'on est souvent chez Baptiste, surtout depuis qu'il y a plus Sarah ? Tellement que t'as l'étage d'un placard rien que pour toi ?

– Continue.

– Je me demande si ce ne serait pas mieux d'aller chez lui. Enfin, c'est dans ce sens que je me l'étais imaginé.

Émilie se mordit la lèvre inférieure. Vivre avec Hiro lui plaisait mais, avec Baptiste aussi ? Si elle appréciait la présence du colosse, elle ne se voyait pas partager tous les tracas du quotidien avec lui. Faire le roulement à trois dans une salle de bain, avoir un mur en commun entre leurs chambres, organiser leurs affaires dans un appartement déjà plein.

– Tu ne veux pas, conclut Hiro en détaillant son visage.

– Je suis pas convaincue, corrigea-t-elle.

– Moi non plus. En fait, pour être tout à fait sincère, c'est pas la folie pour Baptiste en ce moment…

– Sans blague.

– … et depuis que je dors plus sur le canapé, je suis devenue sa coloc' officielle. Si on partage pas le loyer, il ne peut pas y rester et trouver des gens à cette période de l'année, c'est une véritable épreuve.

– Donc on a pas le choix en fait ?

– Plus ou moins. On peut aussi continuer comme ça en attendant qu'il trouve.

Émilie siffla entre ses dents. Comme si cette éventualité était envisageable. Elle sortit sa valise et la posa sur son BZ.

– Pour la peine j'emménage ce soir. On teste pendant un mois et, si vraiment ça se passe mal, je pourrai toujours revenir ici.

Hiro l'enferma dans ses bras, le visage illuminé par la joie.

– Je t'aime tellement.

Émilie arriva sans s'annoncer le soir même, sa valise sous la main. Baptiste se trouvait dans son salon, assis devant sa table basse recouverte de papiers, une bouteille à la main. Il leva un œil surpris en entendant la porte s'ouvrir et, sans même regarder qui entrait, cacha le whisky sous la table. Émilie ne perdit rien de sa réaction et se dit que, définitivement, ce n'était pas le moment de le laisser seul.

Baptiste posa sur elles son regard de miel, la tête légèrement penchée sur le côté. Il lorgna un moment la valise et, puisqu'aucune ne prenait la parole, il tira ses propres conclusions :

– Ton appartement a pris feu ?

– Tout comme, j'emménage.

À travers le léger plissement de ses yeux, Émilie crut deviner un désaccord ou, au moins, une hésitation. Elle ne se demanda qu'à ce moment si Baptiste accepterait un troisième colocataire. Heureusement, il se détendit aussi vite qu'il s'était crispé et se leva pour prendre un porte-vue de la bibliothèque.

– Quelques règles pour le bon fonctionnement du quotidien. Je te fais confiance mais, crois-en ma vieille expérience, il y a des points à prendre en compte pour le bien de notre quotidien et, surtout, de notre amitié.

Voilà exactement le genre de détails qui la faisait encore douter de son choix. Émilie soupesa l'énorme porte-vue avant de jeter un œil au sommaire. Organisation du ménage, horaires salle de bain, règles de vie. Quoi de mieux pour avoir l'impression de retourner en enfance qu'une embrouille pour savoir qui devait passer l'aspirateur ? Émilie prit une profonde inspiration et referma le règlement, reléguant le problème au lendemain. Elle s'intéressa plutôt à ce qui se trouvait sur la table. Une grande partie des feuilles étaient recouvertes d'une petite écriture serrée, presque illisible à cause des ratures. Émilie reconnut son projet de librairie-salon de thé.

– Tu te lances ! s'extasia-t-elle.

– J'essaye.

Baptiste fronça le nez, plus animé par le doute que par l'enthousiasme. Le grand sourire d'Émilie finit tout de même par le contaminer un peu et il lui montra l'étendue de son travail ; remettre en ordre des années de notes éparses.

– Est-ce que tu as une idée de lieu ? Il ne me semble pas avoir vu de commerces à vendre dans le coin et un mauvais emplacement peut tout faire capoter.

– Non, pas encore. C'est pour ça que j'ai essayé plusieurs tailles de pièces et plusieurs formes. Dans le pire des cas, j'improvise. Par exemple vers Ramonville, je me rattache à l'université Paul-Sabatier. Il y a moins de concurrences et, bien que scientifiques, ils lisent beaucoup. Le concept pourrait les intéresser si je donne une ambiance moins hipster.

– Même plus loin. Il y a un café librairie chez moi, à Aurignac et, de ce que j'en sais, il marche plutôt bien. On sous-estime le pouvoir d'achat des retraités au moins autant que leur besoin de distraction sociale.

– Ouais par contre les séniors c'est peut-être un peu loin de l'idée fun que j'avais à la base.

– C'est pas gentil pour eux.

– C'est pas méchant non plus.

– Bref, coupa Hiro. Ton idée est super, on arrête pas de te le dire, maintenant trouve un local et passe du fantasme à la réalité.

Baptiste rangea ses croquis dans son trieur au bord de l'explosion.

– Je comptais un peu sur vous pour y mettre de la rigueur, en fait. Je suis sûr qu'il y a plein de détails auxquels je ne pense pas parce que j'ai tendance à trop me concentrer sur le devant de la scène et jamais les coulisses.

– Mais t'as de l'expérience dans le domaine au moins ? demanda Émilie.

– J'ai été serveur dans un café. Je ne m'inquiète pas trop pour le boulot en lui-même en fait. Par contre, toutes ces histoires de comptabilité, ça me perd tout de suite.

Hiro arriva avec trois verres, du coca et des chips.

– C'est un très gros projet, dit-elle, en travaillant dur tu ne pourras le concrétiser que dans plusieurs mois, voire un an. Tu te sens prêt à l'assumer ?

– Je pense, répondit-il avec un petit sourire au coin des lèvres. Je n'ai pas été aussi motivé depuis… et bien depuis que l'idée m'est venue pour la première fois, il y a peut-être cinq ans. J'attendais qu'une bonne opportunité se présente mais je suppose que ça n'arrivera pas alors autant que je passe à l'action.

– Et c'est une super mentalité. Maintenant faut continuer sur la lancée ! Bat' tu regardes cette histoire de statut légal de l'entreprise, Émilie tu te renseignes sur l'hygiène et la sécurité, moi je cherche un local sur le bon coin. D'ici la fin de la soirée, on aura avancé pour de vrai.

– C'est gentil mais peut-être qu'elle a mieux à faire de sa soirée, dit Baptiste. Par exemple ses devoirs, ranger ses affaires, des trucs comme ça.

– Je vais juste vider ma valise et j'arrive pour vous aider.

L'ancienne chambre de Sarah sentait bon le parfum de Hiro. Émilie ne résista pas au plaisir de fourrer son nez dans l'oreiller, savourant l'absence d'odeur de cigarette. Cette pièce était le seul endroit n'appartenant qu'à Hiro. Tout ce qui s'y trouvait n'était altéré par rien d'autre que par ses goûts et ses habitudes. La chambre était toujours propre, à quelques chaussettes sales près, le lit était fait tous les matins. Sur la table de nuit, pas de réveil ni de lampe mais un tas de métronomes et des albums. Ses élastiques absolument partout, une guitare dans un coin et, bien sûr, la petite touche vintage ; une chaîne hi-fi.

Émilie jeta un œil aux albums pour voir ce qu'elle pouvait mettre pour se motiver, le temps de vider sa valise. L'une des pochettes, mal refermée, laissa échapper un CD. L'étudiante se pencha pour le ramasser et vit, du coin de l'œil, autre chose sous le lit. Elle s'attendait à y trouver n'importe quoi sauf une bouteille de vodka à moitié entamée. Au même moment, Hiro entra dans la chambre.

– Qu'est-ce que tu fais ?

– Je viens de trouver une bouteille de vodka.

– Cool ! Elle a dû tomber pendant une soirée. Ça tombe bien, y en avait plus.

Émilie remarqua l'absence de poussière sur la bouteille. La dernière soirée datait de près d'un mois. Une autre hypothèse se façonnait dans son esprit alors qu'elle se relevait. Une théorie un peu folle.

– Tu m'accompagnes acheter à manger ? Il y a plus rien.

– On devait pas aider Baptiste ?

– Les magasins vont fermer.

L'hiver n'était vraiment pas la plus agréable des saisons. Émilie se colla contre Hiro pour prendre un peu de sa chaleur. Les rues, désertes, devenaient presque lugubres par endroits.

Avec leur budget, le panier se composait presque exclusivement de pâtes, au grand désespoir des nutritionnistes du monde entier. Émilie compta les pièces au fond de ses poches pour y rajouter quelques légumes, des haricots en conserve et, comble du luxe, une boîte d'œufs bio. À la caisse, elle s'arrêta devant le rayon d'alcool fort.

– Même pas en rêve, fit Hiro.

– J'allais pas en prendre. Je me demandais juste… Toi qui habites avec Baptiste, il boit souvent ?

Hiro se renfrogna, mal à l'aise.

– Moins que ce que tu penses. Il gère ses problèmes à sa façon. On va l'aider à se remettre sur pied.

Émilie acquiesça sans y croire tout à fait.

De retour à l'appartement, l'étudiante passa aux toilettes. Elle fixa la faïence sans savoir ce qu'elle y faisait. Le débit était faible. C'était le cas depuis aussi longtemps qu'elle essayait de s'en souvenir.

Émilie souleva le cache du réservoir et trouva, noyée dans l'eau, une bouteille d'ouzo, vide aux deux tiers.

– Mon pauvre Batou, murmura-t-elle. Qu'est-ce que tu nous fais ?

17

Émilie posa son sac à l'entrée, le cerveau dégoulinant d'un trop plein d'informations. D'une main, elle répondait aux messages de détresse d'un Julien qui craquait sérieusement tandis que, de l'autre, elle lançait l'eau de son thé. Baptiste lui grommela un bonjour distrait, le nez dans son verre de vin.

– Encore en train de boire, lança-t-elle de but en blanc.

– Ça m'aide à me calmer. C'est vraiment la merde.

Émilie battit en retraite dans sa chambre avant même d'oser lancer les hostilités. Elle n'avait pas directement parlé avec lui de sa découverte dans les toilettes, pressentant un blocage de sa part, mais elle ne retenait plus ses remarques depuis. Baptiste niait son problème, s'il ne se plongeait pas tout simplement dans des colères noires.

Assise en tailleur par terre, Hiro répétait en boucle les trois mêmes accords, la partition en équilibre précaire sur sa table de nuit. Elle s'interrompit à peine le temps de la saluer.

– Je termine la chanson et je suis à toi.

– T'embête pas, rassura Émilie. Je pense que je vais traîner sur le PC ce soir, de toute façon.

Émilie s'allongea sur le lit, savourant le plaisir simple de ne pas avoir à ranger ses draps et à convertir le canapé tous les jours. Elle jeta un œil au classeur de Benjamin où toutes les reprises étaient répertoriées. Une bonne cinquantaine de titres, de Pink Floyd à Imagine Dragon, en passant par Metallica et les Beatles. Playlist volontairement hétéroclite pour satisfaire le plus grand nombre.

– Tu vas réussir à tout apprendre pour la semaine prochaine ? Je trouve ça très dense.

Hiro devait remplacer en catastrophe le guitariste du groupe pour un concert caritatif. La situation ne semblait pas la stresser plus que ça mais elle travaillait très sérieusement les partitions depuis plusieurs jours.

– J'en connais l'essentiel donc je me fais pas de soucis. Par contre y a des chansons que je préfère, c'est sûr. J'espère qu'ils vont demander Knights of Cydonia, y a une vibration des notes super intéressantes à faire et une petite ambiance western qui fait plaisir.

Émilie hocha la tête comme si elle comprenait. Hiro eut la gentillesse de lui en jouer quelques notes, tout en s'excusant du piètre résultat à la guitare acoustique.

– Et tu arrives à chanter par-dessus ?

Hiro se mit à rire, déjà sur l'introduction de la chanson suivante.

– Je ne chante pas, j'aime pas. On dirait du Cœur de Pirate top budget.

– J'aurais bien aimé apprendre un instrument. Ma mère m'a donné le choix entre un sport ou du solfège. Si j'avais choisi le solfège, j'aurais regretté le sport.

– On peut pas tout faire, j'imagine. Enfant, je me suis beaucoup ennuyée. Il n'y avait pas grand-chose à faire chez moi, j'avais pas vraiment d'ami. Par contre, il y avait un piano qu'on se traînait partout et j'y passais des heures. Ma mère adorait, je suis sûre qu'elle se voyait gérer ma carrière alors elle m'a fait toucher à tout.

– Et t'avais déjà rejoint un groupe ?

– J'en ai eu plusieurs, c'est sympa de faire de la musique à plusieurs même si ça demande un peu de diplomatie. J'ai arrêté parce que je n'aime pas jouer en public, je le fais juste pour qu'Enzo parle de moi à son patron.

– T'as le trac ?

– Un peu, comme tout le monde. C'est pas le problème. Il y a quelques années, j'ai eu un été vraiment compliqué et je jouais dans le métro parisien. Maintenant, dès que je suis devant des gens, j'ai l'impression de sentir une odeur de pisse. C'est bizarre, non ?

– C'est surtout triste.

Émilie caressa du bout des doigts la nuque de sa petite amie. Elle aimait la voir s'ouvrir petit à petit, comme un hérisson qui se détendrait assez pour lui montrer son visage et, pourquoi pas, se laisser grattouiller le ventre. Hiro posa enfin sa guitare sur son socle et s'approcha du lit, le regard câlin.

Le Cri de la mouette était un petit bar ayant la particularité de se trouver dans une péniche. Le concept seul suffisait à enthousiasmer Émilie et elle sauta carrément de joie au moment de traverser la passerelle branlante. Un escalier métallique descendait vers la cale en acier dont les écrous restaient visibles malgré une peinture bleue, donnant une autre saveur à la bière qu'on lui servit.

Contre toute attente, Baptiste n'eut pas besoin de se voûter, au contraire il y avait largement assez de hauteur pour sauter les bras levés. Le colosse lui partagea son soulagement, car selon lui un concert sans pogo n'était pas un vrai concert.

– Déjà que je bois pas ce soir…

Émilie s'imaginait broyée par la cinquantaine de personnes présentes. Elle avait tout intérêt à finir son verre avant que le groupe ne commence. Baptiste lorgna sa consommation, mal à l'aise.

– Ça va ? demanda-t-elle.

– Bien sûr. Pourquoi ça n'irait pas ? Je contrôle parfaitement ma consommation et tu finiras par t'en rendre compte.

Émilie aurait aimé le croire. Sincèrement. Mais depuis la veille, ses derniers doutes s'étaient envolés. Alors qu'ils regardaient tous les trois un film dans le salon, Baptiste s'était absenté aux toilettes. Une minute plus tard, il en était ressorti blanc comme un linge et avait mis l'appartement sens dessus dessous, prétextant ne plus retrouver sa carte bleue. Sauf qu'Émilie, elle, savait que le problème n'était pas là. Le problème, c'était que sa bouteille d'ouzo n'était plus dans le réservoir d'eau.

Une connaissance interrompit le fil de ses souvenirs pour les saluer. Émilie réalisa après un regard périphérique dans la salle qu'une bonne partie des visages lui étaient familiers. Pour cause, il devait s'agir d'amis des membres du groupe qu'elle avait vus durant des soirées ou à la fac. À ce niveau de notoriété, les curieux et les fans ne constituaient qu'une minorité négligeable du public. C'était beau de savoir combien Hiro et Benjamin étaient entourés.

Baptiste profitait de sa taille immense pour regarder du côté de la scène. La première partie commençait. Vêtements noirs très amples, cheveux longs, et chanteuse en corset. Hybrid Harmony d'après le barman. Émilie les catalogua immédiatement comme un groupe de métal et, dès les premières notes, son intuition se confirma.

Émilie ferma les yeux pour s'imprégner de l'ambiance. La musique, le rythme du public, toutes ces présences familières avec qui partager ce moment et l'excitation finit par la gagner. Pile au bon moment pour assister à l'arrivée de Benjamin et de son groupe, Kazar. Bien évidemment, Hiro crevait l'espace d'un charisme cent fois supérieur aux autres et Émilie accorda très peu d'attention au chanteur qui prit la parole :

– Bonsoir, merci à tous d'être là. Comme vous le savez, c'est une soirée un peu spéciale puisque notre but est de récolter de l'argent pour une cause qui me tient à cœur ; les enfants et, plus particulièrement, les enfants malades. Tout le monde ici a des rêves et le temps pour les réaliser, le temps de vivre, de se tromper, de se chercher, ce qui n'est pas leur cas. Eux sont plus pressés et, je sais pas pour vous mais, moi, je pense que l'argent ne devrait pas être un frein à leurs rêves. Alors, ce soir, je vous propose de donner un peu pour eux. Au bar, vous avez une liste de chansons, vous pouvez miser sur votre préférée et on jouera celle qui aura récolté le plus d'argent, puis la deuxième et ainsi de suite. Ah, aussi, petit point important : pour les dons de plus de 5 euros, une bière est offerte.

Un petit mouvement de foule anima la péniche alors que le groupe terminait ses installations et les tests sons. Émilie s'était préparé un billet de dix euros pour l'occasion qu'elle donna contre une chanson de Muse et retourna au milieu de la salle, sa bière fraîche donnée à son voisin. Pas question pour elle d'être en état d'ébriété pendant qu'Hiro serait sur scène, elle voulait se souvenir du moindre détail.

Le barman annonça le gagnant et les premières notes d'Under The Bridge des Red Hot Chilli Pepper résonnèrent. Pendant l'heure suivante, Émilie se laissa porter par la musique avec les autres, s'habituant petit à petit à une alternance de ton qui allait au gré des envies du public. Certains semblaient même apprécier passer d'un hard métal bourrin à du Lady D'Arbanville pour repartir sur un obscur mais talentueux groupe de rock. Baptiste se lâchait dans ces déhanchements fluides dont il avait le secret et entraînait sa coloc' avec lui. Entre deux morceaux, pendant les quelques secondes de silences avant que le barman n'annonce la suivante, un groupe se hurlait dans les oreilles :

– Putain mais elle déchire la guitariste. T'as vu le solo qu'elle a improvisé quand le bassiste s'était perdu dans sa partition ?

– Oui, limite on y a vu que du feu !

L'ego d'Émilie lui explosa les chevilles. Cette fille magnifique qui faisait danser une salle entière sur commande, avec son chignon qui se balançait au rythme de la musique, c'était *sa* copine, rien qu'à elle.

Toutefois alors que l'ambiance battait son plein, une voix s'éleva du fond de la salle.

– C'est de la merde !

Cent têtes se tournèrent vers celui qui venait de hurler. Un grand brun bien habillé, avec un petit air de fils à papa, fort d'une dizaine d'autres garçons qui gloussaient à côté de lui.

– Je te parie que c'est un petit merdeux d'école de commerce, déclara Baptiste assez fort pour être entendu de loin.

Une rumeur agressive parcourut l'assemblée quand l'intrus confirma l'hypothèse. Il régnait entre l'université Jean Jaurès et les filières payantes une rivalité qu'Émilie ne connaissait que de réputation. L'une regroupait une population majoritairement pauvre et socialiste tandis que l'autre s'offrait un diplôme à cinq chiffres. Un conflit stérile et laid dont Émilie en vit le pire.

– Y en a marre d'entendre votre rock anglophone moisi ! Faites du francophone, la langue de votre pays !

– La liste que tu critiques est le résultat d'un sondage Facebook, répondit Benjamin. Il n'y a rien de mal à faire ce que les gens veulent.

– Ouais, c'est ça, moi je pense plutôt que vous êtes des incapables qui veulent se donner un genre. Prouvez-moi le contraire !

– On a pas à…

– Allez, fais pas ton timide ! C'est un concert caritatif n'est-ce pas ? Je parie que je peux vous acheter.

Le grand brun secoua à bout de bras un billet de cinquante avec une telle condescendance qu'Émilie s'attendit à ce que quelqu'un le frappe. Au lieu de ça, Hiro prit le micro des mains de Benjamin et s'exprima à son tour.

– Pour cent euros, tu m'achètes.

– Pas toi je m'en fous, retourne en Chine.

Un silence pesant s'imposa une courte seconde, juste le temps qu'il fallut au sang d'Émilie pour faire un tour et se changer en glace. Il allait se le prendre, ce coup de poing au visage, s'il fermait pas immédiatement sa grande g…

– Au contraire, j'ai encore plus de valeur. Un étranger qui chante une variété de ton cher pays, ce n'est pas la plus belle preuve de la suprématie de votre culture ? Mais je peux comprendre que tu te dégonfles, on sait tous que ton petit numéro c'est du flan.

– Marché conclu ! cria-t-il en fracassant le billet contre le comptoir du bar. 100 euros et j'en veux pour mon argent !

Hiro entama les premières notes, un sourire victorieux au coin des lèvres. Mais elle laissa traîner longtemps son introduction et Émilie comprit combien son attitude n'était qu'une façade. Dans de telles circonstances, quoi de plus légitime ? Hiro paniquait. Son regard perdu parcourait ce public attentif, jusqu'à tomber sur Émilie et s'arrêter.

L'étudiante ne voyait pas comment la rassurer, à part en lui envoyant un pathétique baiser soufflé. Pourtant, ce petit geste sembla lui suffire car la japonaise se reprit, secoua la tête et approcha ses lèvres du micro.

– Si vous le permettez, j'aimerais dédicacer cette chanson parce que… bah je fais ce que je veux en fait. Elle se reconnaîtra.

La guitare partit dans d'autres accords totalement différents et la voix douce d'Hiro résonna dans la péniche silencieuse.

Le ciel bleu sur nous peut s'effondrer
Et la terre peut bien s'écrouler
Peu m'importe si tu m'aimes
Je me fous du monde entier
…

Le monde partit en fumée autour d'Émilie. Les autres, le sol, les murs, tout ce qui existait la seconde d'avant disparaissait et de l'univers tout entier ne restait que deux filles, hypnotisées l'une par l'autre et cette chanson d'Édith Piaf dont les paroles traversaient le temps pour y trouver un écho. Émilie sentit les poils de sa nuque se dresser, les larmes lui monter aux yeux. À ce moment précis, elle retomba amoureuse, comme un oiseau prend son envol, pour le reste de sa vie.

Il fallut une ovation pour la ramener à la réalité. Baptiste l'attrapa par les hanches et la souleva, presque à hauteur de plafond. Une marée de mains l'entraîna jusqu'à la scène. Réceptionnée avec une délicatesse toute relative par Benjamin, elle se retrouva devant Hiro, délestée de sa guitare, et l'embrassa devant cette foule avec la même sincérité que dans l'intimité de leur chambre, ignorant le tonnerre d'applaudissements de leurs amis.

Une fois dehors, Émilie n'était toujours pas descendue de son petit nuage et daignait à peine lâcher le bras de Hiro pour se gratter le nez. Son comportement faisait beaucoup rire sa petite-amie qui cherchait un coin à peu près tranquille pour l'embrasser encore, à l'abri d'un arbre, entre deux lampadaires.

– N'empêche, Cœur De Pirate top budget, y a de ça.

Hiro lui mordilla l'oreille provoquant une hilarité incontrôlée chez sa victime. Un bruit de pas arrêta net leur échange. Émilie se tourna vers une femme qui les observait. Une asiatique plutôt grande, à l'âge indéfinissable, un air familier. Un frisson parcourut sa nuque quand celle-ci se mit à parler.

– Sakura ? dit-elle.

Hiro se figea. Elle releva la tête avec une lenteur démesurée, hésita à la tourner pour regarder cette femme. Quand elle rassembla assez de courage pour le faire, son visage termina de se décomposer.

– *Okaasan*.

Instinctivement, Émilie comprit que son monde venait de s'écrouler.

Elle assista au reste de la soirée derrière un voile opaque. La mère de Hiro ressortait des limbes. Inconsciemment, elle s'était imaginée une femme mince et austère, avec les lèvres pincées et un chignon de danseuse. En réalité, Natsuki Watanabe ressemblait à une version plus vieille de Hiro. Les mêmes yeux chaleureux, le même sourire communicatif et toute une palette d'expressions similaires. Mettre un visage sur des histoires racontées à demi-mots ne la surprit pas autant que d'en découvrir un nouveau chez Hiro.

Après un moment suspendu, la mère et la fille s'étaient jetées dans les bras l'une de l'autre et, en larmes, avaient débité une série de phrases en japonais, comme enfermées dans un monde à part où personne ne pouvait les rejoindre.

Cloîtrée dans la chambre de Baptiste avec lui, Émilie mâchait l'impression amère de rater un des moments les plus importants de la vie de Hiro. Les murs fins laissaient passer le ton de cette conversation sans qu'elle n'en saisisse le sens. Hiro parlait beaucoup, avec une voix plus aiguë et les voyelles traînantes. De temps en temps, un nom propre apparaissait, seul indice sur le sujet de la discussion.

Vers 4 h du matin, alors qu'ils somnolaient tous les deux sur le lit, la porte s'ouvrit enfin. La lumière du couloir éblouit un instant Émilie qui demanda d'une petite voix endormie :

– Ça va ?

Hiro se pencha vers elle et lui répondit, dans un murmure :

– J'ai un petit frère. Il s'appelle Kyo, il a 4 ans.

En pilote automatique, Baptiste referma ses gros bras autour d'elle et la serra fort contre sa poitrine. Émilie se joignit à cette étreinte.

Dès le lendemain, le reste de la famille arriva par le train. Tout le monde attendait à la gare, même Baptiste. Natsuki les regardait tous les deux avec curiosité. Elle ne parlait pas un mot de français et sa fille n'était pas en état de faire la traduction, trop occupée à trépigner sur le quai.

– Essaie de lui parler, encouragea Baptiste. C'est ta belle-mère, tu dois bien baragouiner quelques mots en japonais.

– Quelques insultes, chuchota Émilie. Je suis pas sûre qu'elle apprécie.

Hiro, à l'écart, balançait son poids d'une jambe à l'autre. Son souffle s'arrêta quand le TGV entra en gare et que les passagers en sortirent. Il n'y avait que deux asiatiques sur la centaine de voyageurs, un homme grand et élancé, tenant la main d'un petit garçon trop bien coiffé. Émilie remarqua tout de suite l'absence de bagages et le bonheur évident de cette belle famille réunie après huit ans d'absence.

Yusuke, contrairement à sa femme, prit un moment pour saluer les amis de sa fille. Il serra la main de Baptiste, le salua de son adorable petit accent et, arrivé devant Émilie, s'arrêta plus longtemps pour la détailler, une expression indéchiffrable plaquée sur le visage.

– Merci d'avoir pris soin de Sakura, fit-il enfin avant de lui serrer la main aussi.

Les deux amis laissèrent la famille tranquille et se réunirent dans un café pour discuter. Émilie suivit de très loin les évènements du reste de la journée, appréhendant la suite.

Durant son court échange avec Yusuke, il lui avait semblé entendre une suite à sa formule de politesse. Comme un « maintenant je prends le relais » que venait confirmer l'absence de valises. Ils ne restaient pas mais ne repartiraient pas sans elle. Rien que d'y penser, l'émotion lui serrait la gorge.

– J'ai l'impression d'être un condamné la veille de son exécution, dit-elle enfin. Un instant j'avais le contrôle de la situation et, tout d'un coup, elle m'a échappé. Il n'y aura pas de retour en arrière, n'est-ce pas ?

Baptiste caressait les bords de sa tasse, incapable de trouver de quoi la rassurer.

Son intuition se confirma dans la soirée. Hiro rentra tard et se dirigea immédiatement jusqu'à leur chambre. Émilie l'attendait, assise au bord du lit, les poings sur les cuisses.

– Il faut qu'on parle, commença Hiro de but en blanc.

– Tu pars quand ? demanda Émilie, stoïque.

– Mardi, ce serait bien – Hiro s'installa sur le lit, à une distance respectable – Je ne sais pas pour combien de temps. Ils quittent le pays dans deux mois donc probablement aussi longtemps.

– C'est le début d'un nouveau chapitre exceptionnel pour toi. Tu dois être… heureuse.

– Je ne réalise pas encore, c'est tellement surréaliste. Ma mère qui se trouvait à Toulouse pour un rendez-vous pro, elle ne restait qu'une seule nuit et elle a choisi d'aller à ce concert.

Ce genre de choses qui n'arrivent que dans les rêves, d'habitude. Personne n'est préparé à ce que ça devienne réalité.

– Tu rentreras après ?

Hiro se tourna vers elle. Émilie s'intéressa à sa manucure pour ne pas affronter son regard.

– Bien sûr.

– Vraiment ? Tu as déjà si souvent recommencé ta vie à zéro et il y a ce chamboulement dont tu dois profiter jusqu'au bout. Je ne t'en voudrais pas de me laisser derrière mais je préfère le savoir maintenant.

Émilie sentit les doigts d'Hiro glisser dans le creux de sa main.

– Je reviendrai pour toi.

Hiro laissa derrière elle un vide abysse, brutal. Émilie était partie à l'université comme un jour normal, après lui avoir fait un bisou ordinaire. Mais le soir, à son retour, Hiro se trouvait à Paris. Tous ses placards étaient vides, à part son t-shirt préféré et un petit mot « dors avec moi ». Émilie fourrait son nez dans le tissu sale, comme dans un doudou qui rassure.

18

En l'absence du doudou vivant, Émilie devait tout réapprendre. Quoi faire, qui voir, où aller, dormir seule. En quelques mois, Hiro, lui était devenue ridiculement nécessaire. Dépitée, Émilie se contentait d'aller en cours et de rentrer le plus vite possible s'abrutir devant la PS4, rare activité où elle parvenait à ne plus voir les heures passer. Baptiste se laissa contaminer par cette absence d'énergie et la rejoignait sur le canapé. Tard le soir, quand leurs estomacs criaient famine, ils ne trouvaient même plus la force de faire cuire des pâtes et se contentaient de gâteaux.

Cet état dura une semaine, le temps d'accuser le coup. Ensuite, lassée par sa propre tristesse, Émilie dut réapprendre à vivre.

Les résultats des partiels tombèrent enfin, deux mois après les examens, et, surprise, elle validait toutes ses matières sauf l'anglais. Son premier semestre avait la mention miracle mais ses efforts avaient payé. À force de s'arracher les cheveux sur des textes incompréhensibles elle s'était crue stupide. Peut-être, après tout, qu'elle ne l'était pas plus qu'un autre.

Pour la première fois depuis qu'elle avait mis un pied à l'université, Émilie se rendait compte qu'elle allait quelque part.

Elle partagea d'abord la nouvelle à Hiro, à son frère et à Julien mais, puisqu'ils ne répondaient pas, elle se réfugia sur les réseaux sociaux. Elle avait envie de crier son soulagement sur tous les toits de Toulouse, de faire la fête comme jamais. Moins d'une minute plus tard, les pas lourds de son colocataire martelèrent le couloir. Il ouvrit la porte avec fracas, les sourcils froncés.

– Et tu me le dis même pas alors que je suis juste à côté ?

Émilie s'apprêtait à s'excuser quand le colosse vint la prendre dans ses bras.

– Faut que je termine l'organisation du salon aujourd'hui et ensuite on t'emmène manger au resto.

– On ?

– Moi et la paye de pôle emploi que j'ai enfin reçue.

Émilie posa sa tête contre le torse de Baptiste. Après Hiro il était la meilleure chose qui lui soit arrivée cette année.

– Je peux venir t'aider ?

Baptiste ne se fit pas prier. Contrairement à son projet de librairie, Émilie n'accordait que peu d'intérêt au salon de l'imaginaire mais, contre toute attente, elle aima prendre de son temps libre pour déplacer des tables, des chaises et rencontrer de nouvelles personnes. Elle s'intégrait.

Les amis de Baptiste lui ressemblaient. Ils étaient gentils, humbles, un peu ailleurs parfois. Toutefois, ils n'avaient pas la moitié de son énergie. Le rouquin courait dans tous les sens pour résoudre tous les problèmes. D'habitude si calme et tranquille, Baptiste se transformait au fil des heures en hyperactif sous cocaïne. Partout où Émilie posait les yeux, elle le voyait s'affairer. Plus impressionnant encore, il ne râlait jamais. Au travail du lever au coucher depuis des jours, personne ne le voyait y mettre de la mauvaise volonté. En fait, il semblait plus épanoui que jamais. Émilie comprit ; c'était sa place. Baptiste se trouvait très exactement là où il devait être. En position de leader.

Le grand jour arrivé, toute la clique de littéraires attendait à l'intérieur, prête à accueillir les visiteurs. Émilie surveillait l'extérieur, impatiente de voir la salle se remplir. Un samedi matin nuageux, l'université était vide. Les couloirs déserts lui rappelaient son premier jour à visiter les bâtiments. Dans une autre vie, presque.

Émilie composa le numéro de Hiro, fatiguée de lui envoyer des messages inconsistants. Elle répondit à la deuxième sonnerie :

– *Moshi moshi, Hiro desu.*

– Dis donc t'es sexy en japonais. Je te réveille ?

À l'autre bout de la France, Hiro se racla la gorge.

– Pardon, à force de parler jap' je sais plus où j'en suis.

– D'ailleurs, tu penses en quelle langue ?

– Ça dépend, parfois les deux en même temps. Le salon se passe bien ?

Soudain, il se mit à pleuvoir. Quelques gouttes puis une averse classique du mois de mars. Baptiste sortit, leva les yeux au ciel et retourna à l'intérieur.

– On fera le bilan demain soir, c'est plutôt mal parti. Par contre, rien à voir, mais Baptiste a rencard la semaine prochaine.

– Oh, avec une personne consentante de sexe féminin ?

– Il paraît. Tout ce que je peux te dire c'est qu'elle est brune et que je dois quitter les lieux pour au moins deux heures. Et de ton côté, qu'est-ce que tu racontes ?

– J'ai sorti mon père. Le pauvre, il s'est pris une murge incroyable, il dort encore.

Hiro arrêta de parler, comme si son histoire ne méritait pas plus de mots. Elle faisait souvent ça, contracter ses récits en une petite phrase. En face à face, Émilie ne craignait pas les silences mais, au téléphone, à 800 kilomètres de distance, ils devenaient angoissants.

– C'est tout ? fit Émilie pour la relancer.

– J'ai fait une crête à Kyo et ma mère m'a engueulée.

– Ok. Chouette. Les gens commencent à arriver, faut que je te laisse.

– Discord ce soir ?

– Promis.

Émilie raccrocha, en rage. Personne à l'horizon et une pluie qui s'intensifiait. Quelques minutes plus tard, Baptiste revenait mettre le bout de son nez dehors. Il scruta les environs en plissant les yeux.

– Les gens vont arriver, rassura Émilie.

– Au pire, on est tous bénévoles. Ce n'est pas comme s'il y avait un seuil de rentabilité à atteindre.

Le flegme de sa réponse l'étonna, d'autant plus qu'il n'arrêtait pas de faire des allées et venues depuis tout à l'heure. Il recommença son manège encore et encore jusqu'à midi. Là, il sortit une dernière fois sous un soleil radieux et soupira.

– Elle ne viendra pas, constata-t-il.

Émilie supposa qu'il parlait de Sarah. L'autre gérante de l'association, absente depuis son départ à Noël.

– Elle t'a dit qu'elle viendrait ? demanda-t-elle.

– Non mais je me disais que, peut-être… Ce salon, c'était important pour elle.

– Peut-être pas tant que ça.

Baptiste souffla du nez, les sourcils froncés.

– Qu'est-ce que t'en sais ? s'énerva-t-il. Tu la connaissais à peine et moi j'habitais avec depuis des années. Sarah a un caractère particulier parce qu'elle est impliquée, justement. Elle sait ce qu'elle veut dans la vie, elle sait ce qu'elle aime, elle sait ce qu'elle mérite et elle se bat pour l'obtenir. Le salon c'est son idée, la première édition c'est elle, toute seule, à 23 ans. Sarah vaut bien plus que toi et moi, t'as pas le droit de la critiquer.

Émilie rentra la nuque dans ses épaules, honteuse d'être sermonnée et consciente de le mériter. Baptiste retourna à l'intérieur et l'évita le reste de la journée. Pour sa défense, la salle se remplissait petit à petit de visiteurs et les conférences s'enchaînaient sans discontinuer. Tout le monde s'affairait à rendre la journée exceptionnelle pour les artistes et les visiteurs.

Le soir, Émilie tarda à rentrer à l'appartement, le temps de peaufiner des excuses en béton. Baptiste l'attendait en caleçon sur le canapé, une bière à la main. Il l'accueillit en tapotant la place à côté de lui et passa son bras par-dessus ses épaules.

– Je suis désolée, dit-elle.

Baptiste relança l'animé qu'il regardait sans répondre. Trop tôt. Il laissa passer un épisode et la moitié d'un deuxième avant de lui répondre.

– Je quitte l'association demain, à la fin du salon. Tu as raison sur un point. Il faut savoir couper les ponts avec le passé pour se focaliser sur ses projets. Le café, que le café, juste le café.

– C'est ton moment. Tu peux y aller à fond.

Le lundi matin, Baptiste se leva à l'aube, plein d'énergie. Ces derniers temps, il semblait animé d'une soif insatiable. Il rayonnait.

Depuis qu'il avait sérieusement repris son projet, le colosse avait trouvé le lieu parfait pour lancer son café-librairie. Il lui restait cependant le plus dur ; discuter avec son banquier d'un éventuel prêt. Avec son frère et ses parents comme garants, ainsi qu'un projet peaufiné dans les moindres détails, il pouvait commencer à rêver de concret. Ou essuyer son premier échec.

Dans le salon, Baptiste faisait les cent pas, répétant son

texte. À voir ses yeux gonflés, il n'avait pas dormi du tout. Son costume bleu sombre, prêté par son jumeau un peu plus svelte, serrait à l'abdomen. Il garda la veste déboutonnée pour faire jeune entrepreneur décontracté. Dans ses mains, il tenait fermement le dossier contenant tout son projet. Croquis adapté à l'architecture du bien qu'il souhaitait acheter, simulation du prix d'investissement dans les travaux et l'immobilier, avec de vrais devis et des extraits du catalogue IKEA. En annexe, une liste de café-librairie ayant eu du succès dans la région, les lettres de ses garants et, enfin, sur la table basse, un morceau de gâteau citron-meringue fait maison dans un tupperware pour prouver ses compétences culinaires. Un dossier de winner.

Émilie se baladait dans l'appartement avec son téléphone pour qu'Hiro puisse suivre l'affaire en appel vidéo. Ils vérifièrent tous ensemble le dossier. Il était parfait, à la virgule près.

– T'es tellement beau mon Balou, dit Hiro depuis le téléphone.

Baptiste fit un tour sur lui-même avant de prendre une pose de mannequin.

– T'es prêt ? demanda Émilie.

– Pas du tout, souffla le colosse. Mais bon, il faut. T'es sûr que tu veux pas que je te dépose chez Julien ?

Émilie se hâta de lui embrasser la joue avant qu'il n'insiste. Mieux valait qu'il ne rajoute pas la peur des embouteillages ou d'une panne de voiture à son stress.

– Je vais rester un peu au téléphone et marcher. Tu pars maintenant, allez, oust.

Baptiste sauta une dernière fois sur place et franchit la porte d'entrée.

– Notre fils a tellement grandi, fit Hiro une larme à l'œil.

– Je suis la plus fière des mamans. Tout le monde va bien chez toi ?

– Comme d'habitude. Ma mère râle. Elle râle tout le temps, c'est insupportable. Mais Kyo est mignon donc ça va. Et puis tu me manques, aussi.

– Plus que quatre semaines. J'aimerais tellement venir un week-end, la vente de la maison est toujours pas actée, ça risque de durer encore un moment.

– À ce sujet-là. On m'a proposé un poste à la sandwicherie de l'aéroport. Ça décalerait mon retour à fin avril mais si je ne le prends pas ça va vraiment devenir très compliqué financiè-rement.

– Oh. Je vois.

Émilie ouvrit son agenda. Elle raya la date du retour de Hiro et tourna une quinzaine de pages. Tout ce temps encore sans la voir.

– Tu sais, fit Hiro après un long silence. C'est moi qui ai appelé Baptiste au Dubliners. Quand je t'ai vue rentrer dans le bar, c'était tellement inespéré ! Je voulais être sûre que tu ne partes pas ailleurs alors je suis allée directement à l'arrière pour lui envoyer un message, il avait ordre de surtout pas te lâcher.

– C'est tellement mignon ! Pourquoi tu me dis ça maintenant ? Enfin je suis contente de l'entendre mais…

– Parce que, le jour de notre rencontre, je t'ai laissée partir sans aucun moyen de me recontacter et j'ai recommencé la fois d'après. J'ai failli faire la plus grosse connerie de ma vie deux fois. Donc aujourd'hui, si tu penses qu'il y a un problème, je veux que tu me le dises. Je te laisserai pas partir.

Émilie se gratta le coin de l'œil, humide.

– Je te le dirais, promis.

19

Julien se présenta rasé de près, vaguement coiffé, noyé dans un pull informe à l'effigie de Zelda.

Ils entrèrent dans un japonais à volonté en face de sa résidence et passèrent tout de suite commande. Tous les deux démontraient un certain empressement à se donner des nouvelles, puisque le temps de leur rendez-vous ne devait pas durer plus de deux heures très exactement.

– Pourquoi si précisément de 19 h à 21 h, d'ailleurs ?

– Et bien, figure-toi que c'est une longue histoire. J'avais cette connaissance dans ma promo qui avait un tuteur. Moi j'en ai pas voulu parce que je ne voyais pas pourquoi un type qui a eu son PACES m'aiderait. Après tout, il ne gagne rien à ce que je réussisse mon année. Or, ce pote a craqué après les partiels pour se réorienter en physique. Son tuteur a proposé de me prendre, Charlotte m'a forcé et finalement ce n'était pas une mauvaise idée. Je ne sais pas trop comment ça peut fonctionner dans ta filière le tutorat mais, chez nous, c'est comme un deuxième cerveau. Il me dit quand dormir, quoi manger et mon rôle à moi c'est de lui faire confiance. D'ailleurs, il m'a dit de me restreindre à 70 h de révisions hebdomadaires, j'ai l'impression d'avoir trop de temps libre ça me fout de ces angoisses parfois. Du coup il m'a conseillé les *working session.*

– C'est quoi ? demanda Émilie pour la forme, puisqu'elle savait que Julien allait lui raconter de toute façon.

– C'est tout con et génial à la fois. Un mec fait un *live* sur YouTube où il se filme en train de bosser et tous ceux qui regardent font pareil. Donc on se sent moins seuls et, quand le coup de blues arrive, on passe en coup de vent sur le chat et tout le monde nous rassure. Ou quand on a une question.

Émilie hocha la tête, un sushi dans la bouche. Retrouver ce flot familier de paroles ininterrompues lui faisait du bien. D'une certaine manière, elle enviait cet emploi du temps serré qui ne laissait pas la place à l'ennui et qui poussait à atteindre le bout de ses capacités intellectuelles. La licence de psycho n'offrait pas ce rythme effréné. Mais ce temps libre était trompeur, elle le savait maintenant. Il fallait le combler par des initiatives, trouver soi-même dans la bibliographie facultative les informations manquantes aux cours.

– Et toi ? demanda Julien. Qu'est-ce que tu deviens ?

Ils ne s'étaient pas vus depuis sa petite visite à Aurignac pour vider la maison de sa mère, en novembre. Il s'était passé tellement de choses depuis qu'elle ne savait même pas par quoi commencer alors elle lui dit tout, dans les moindres détails, même ce qui lui semblait anecdotique. Julien l'écouta, la tête posée sur la main, sans jamais l'interrompre.

– Tout ça, finit-il par dire. C'est fantastique. Sauf pour le départ de Hiro bien sûr. Tu ne croyais pas aux relations à distance, n'est-ce pas ?

– Elle vit une aventure dont je ne fais pas partie, je continue ma vie sans elle.

– Ça peut tenir, comme moi et Charlotte. Ce n'est pas vraiment de la distance mais avec mon rythme de travail, ce n'est pas si différent.

Émilie se tourna vers Julien, la rage au bord des lèvres. Évidemment il lui tenait ce discours. C'était sa petite-amie aux pattes blanches, après tout. Émilie regarda sa montre. 20 h 55, la fin de son rendez-vous.

– Il faut que je m'y remette, gémit Julien.

Comme si son corps anticipait l'effort, son visage se creusa soudain.

– T'es toujours branché révision à deux ? demanda Émilie.

Le visage du métis s'illumina.

À deux sur le lit de la minuscule chambre étudiante, Émilie ct Julien usaient de stratagèmes complexes pour s'étaler sans trop déranger l'autre. Chacun s'assit en tailleur au centre, les affaires vers l'extérieur du lit et leurs trousses en commun, devant. Le mur servait de support pour y mettre les manuels ou les cours à ficher et, en fond, sur son téléphone, la fameuse *working session* et sa playlist de musiques de films.

L'étudiant qui menait la session se courbait sur ses devoirs avec une concentration impressionnante. Émilie le regardait mâchouiller son stylo, réalisant soudain qu'elle l'avait imaginé blanc et brun à la seconde où Julien lui en avait parlé et que la réalité concordait avec son intuition. Comme si une telle idée ne pouvait venir d'un autre type de personne. En y réfléchissant, elle n'eut aucun mal à faire une liste de Trente caucasiens bruns célèbres mais peina à en trouver autant de blonds, de noires, de femmes. En suivant le fil de ses pensées, elle se demanda alors d'où venait cette absence de diversité. Y en avait-il seulement ?

Avant de formuler la moindre hypothèse, il fallait faire quelques recherches.

Sur internet, elle trouva un lien scientifiquement discutable qui estimait à 55 % la quantité de cheveux bruns, noirs ou châtain foncé, hors, en faisant la liste des cent youtubeurs qu'elle suivait, elle en trouva quatre-vingt, chiffre largement au-dessus de la moyenne attendue.

En cherchant encore un peu sur internet, elle tomba sur une étude scientifique qui démontrait que la population accordait naturellement plus sa confiance à des bruns. Toutefois, ce n'était pas tant cette idée qui l'intéressait. Ce qu'elle souhaitait vraiment savoir, c'était s'il y avait plus d'initiative de la part de cette tranche de la population et pourquoi. De multiples hypothèses commençaient à se formuler dans sa tête, demandant chacune des tests plus prononcés. Émilie envoya un message à Benjamin sur la question :

« Tu crois que ce serait possible de prouver un lien entre la manière dont on traite les enfants selon des critères raciaux et leur caractère adulte ? C'est-à-dire que l'attitude des adultes et de la société les formerait à avoir un comportement de réussite, contrairement à d'autres. »

Son téléphone vibra quelques minutes plus tard :

« Tu viens de découvrir le patriarcat ? C'est mille fois prouvé, je t'envoie les liens asap. »

Émilie se massa le crâne. Elle venait de réinventer l'eau chaude. En fait, c'était même un raisonnement induit dans un de ses cours de début d'année.

– Tu m'étonnes qu'on prenne les premières années pour des cons, murmura-t-elle.

– Fini.

La voix de Julien la rappela à la réalité de sa chambre étriquée. Émilie faillit lui demander de quoi il parlait avant de remarquer l'écran noir de l'ordinateur. Elle rassembla ses affaires dans son sac et se prépara à partir. À peine la porte ouverte, ses oreilles s'emplirent de la musique qui remontait du bas de l'immeuble.

– Ah bah y en a qui s'amusent, remarqua-t-elle.

– Oui, c'est une soirée médecine qui commence.

Émilie perçut une flamme d'envie animer le regard fatigué de son ami. De nature timide, Julien ne s'était sûrement pas mélangé avec les autres étudiants et ne savait pas comment s'y prendre à ce stade de l'année. Du moins, s'il n'avait pas trop changé depuis le lycée.

– Si j'ai bien suivi, puisque demain nous sommes dimanche, tu ne commences pas tes révisions avant 15 h ? demanda Émilie.

– Exact.

– Donc on peut aller y faire un tour ?

La flamme se transforma en incendie. Julien sauta sur son lit, extatique :

– Merci merci merci merci ! C'est une soirée déguisée et j'ai justement ce qu'il faut !

Émilie arriva dans le hall affublée d'un vieux costume de canard. Pire que la touffe de plume qui lui servait de queue ; son bec en plastique partait franchement sur la gauche. Quoi que, à bien observer les autres étudiants, elle ne faisait pas si tache, au contraire.

La pièce plongée dans une obscurité entrecoupée de la lumière blafarde d'un spot lumineux contenait tous les animaux du bestiaire, de la lapine chaudasse à Winnie l'ourson, en passant par Pedobear et le Marsupilami en peinture corporelle.

D'un coup d'œil discret, elle remarqua que la queue de ce dernier pendait devant lui et non derrière et qu'il s'agissait là aussi de peinture.

Émilie se cramponna au bras de Julien mais une fille attira tout de suite l'attention du métis. Une petite brune déguisée en mouton, avec des lunettes rondes à motif écaille. Une cicatrice partant du menton jusqu'au nez lui donnait un sourire étrange alors qu'elle s'extasiait :

– Tu as pu venir, c'est super !

Julien fit les présentations. Julie était en cours avec lui et le tannait depuis des semaines pour qu'il vienne. Ils en restèrent là. La musique empêchait toute forme de conversation sans que cela ne semble déranger personne. Après tout, ils n'étaient pas là pour parler mais pour faire la fête. Émilie alla se chercher un verre et, jetant un regard périphérique à la salle, réalisait le genre d'endroit où elle se trouvait.

Tout le monde l'avait prévenue, elle n'y avait pas cru mais sous ses yeux se déroulait bien une soirée à l'excès tout particulier. On buvait directement à la bouteille, on hurlait, des pilules non identifiées passaient de main en main et s'avalaient comme des smarties. Des animaux fous, échappés d'un zoo, se bousculant, se frottant dans une hystérie collective déroutante, chaotique.

Trop. Beaucoup trop, même pour Émilie.

Pourtant, à sa plus grande surprise, il se passa quelque chose dans le cœur de Julien. Sous son costume de Donkey Kong, il se mit à crier, à se frapper le torse du poing et entra à corps perdu dans la danse. Émilie l'observa participer à cette folie ambiante, s'amuser à enchaîner les tequilas frappées, perdre tous ses neurones d'heure en heure dans cette fête qui tournait à l'orgie. Plus surprenant encore, Julie ne s'éloignait jamais de lui. Comme son ombre, elle restait à ses côtés, si possible une main sur son épaule.

Julien retourna dans sa chambre au lever du soleil. Émilie l'attendait, assise sur le bord de la fenêtre à contempler l'aube, une jambe dans le vide. Sans prendre le temps de la saluer, il se jeta sur la cuvette des toilettes et y vomit bruyamment. Vu le peu qui sortit de sa bouche, ce n'était pas la première fois de la soirée.

– Ça va aller ? s'inquiéta Émilie alors que son ami ne relevait plus la tête.

Il lui répondit d'un pouce en l'air et se traîna jusqu'à la fenêtre. Émilie lui fit de la place pour qu'il s'y vautre, les deux bras ballants à vingt mètres du sol.

– Ça fait du bien, en fait. C'est comme rebooter un ordinateur. T'as raté une sacré soirée.

– Désolée, je n'ai pas besoin de redémarrer mon cerveau en ce moment. J'avais plutôt besoin de réfléchir.

– Encore ! gémit Julien dans un râle. T'arrêtes jamais.

Émilie caressa le cuir chevelu du métis. Si elle était restée à cette soirée ou, pire, si elle s'était laissée emporter par l'ambiance, elle aurait sans doute été infidèle.

Parce que c'était ce qu'elle souhaitait, en ce moment. Être libre de jouer la séduction, voire de coucher avec un inconnu, juste pour le jeu des corps sans l'affection. Moins d'un mois sans Hiro et elle se sentait prête à le remplacer.

Julien n'était pas comme ça, il n'avait pas besoin de se retenir puisque ses intentions étaient pures. Il ne tromperait jamais la fille qu'il aimait, même entouré de succubes.

Parfois, elle se demandait si les gens comme lui possédaient une volonté plus implacable ou s'ils aimaient juste plus fort. Assez pour ne jamais l'oublier.

– Tu lui as tapé dans l'œil à cette Julie.

– Je sais, fit Julien en posa la tête sur son bras. C'est dommage, d'ailleurs. Elle est sympa mais je ne peux pas être ami avec une fille qui veut autre chose, ce n'est pas correct pour elle.

– Mais si tu n'étais pas avec Charlotte ?

– J'imagine que je n'aurais plus aucune raison de la repousser.

Le soleil quitta ses teintes orangées pour son jaune habituel.

– Charlotte te trompe.

Émilie sentit le cœur de son meilleur amie se briser en mille morceaux et, projetés par la violence du choc, perforer le sien.

– Depuis quand ?

– Au moins novembre.

– Avec qui ?

– Je ne sais pas mais je l'ai vu.

Julien cacha son visage derrière ses mains. Chaque question de sa part amenait une réponse qui lacérait plus vivement sa poitrine. Émilie se sentit presque rassurée quand, après lui avoir soutiré tous les détails, Julien plongea dans une colère noire.

– Pourquoi tu me dis ça maintenant ? hurla-t-il. Est-ce que j'avais envie de le savoir ? De quel droit tu viens détruire notre histoire ? On aurait pu tenir des années comme ça, en attendant que je termine mes études et après elle se serait calmée mais, maintenant que tu me l'as dit, je fais comment moi pour faire semblant que je ne sais pas à qui elle envoie des messages au milieu de la nuit ou pour qui elle annule nos rendez-vous ? Tu y as pensé à ça ?

Émilie encaissa la violence de l'impact. Elle encaissa les insultes, les cris et tout ce qu'il fallait. Quand il en eut fini, il reprit sa respiration et repartit de plus belle, cette fois pour lui reprocher d'avoir attendu si longtemps avant de parler et de n'avoir rien fait ces derniers mois. Elle encaissa la vision de son visage larmoyant, de la morve plein la lèvre. Il pouvait la détester, elle plutôt que Charlotte, si ça pouvait l'aider, ce n'était pas important.

Dans la nuit, Émilie avait eu une révélation toute bête qui, pourtant, changeait tout ; on choisit de blesser ceux qu'on aime. L'erreur n'existait pas. Par conséquent, la honte qui pouvait suivre n'existait pas non plus, elle n'était que le pâle reflet d'un plaisir coupable. Charlotte n'avait pas honte de ses actions parce qu'elle les assumait. Elle aimait le tromper et ne lui dirait jamais, n'arrêterait jamais. En crevant l'abcès, Émilie détruisait une illusion de couple qui empêchait Julien de trouver une fille qui l'aimerait vraiment. Du moins, c'est ce dont elle se persuada, alors que le métis lui ordonnait de sortir de son appartement et, par la même occasion, de sa vie.

Émilie resta un moment devant l'immeuble, la poitrine lourde, l'esprit encore plein de questions dont elle ne voulait pas encore la réponse. Une certitude se baladait toutefois et elle la garda dans le secret le plus absolu ; elle s'éloignait d'Hiro. La souffrance de son départ partait avec le temps et elle pourrait recommencer une histoire avec quelqu'un d'autre, si elle le souhaitait.

20

Une main sur la poignée de l'appartement, l'étudiante s'arrêta, prise d'un mauvais pressentiment.

Sur le canapé se trouvait Baptiste tel qu'elle pensait ne jamais le voir. Recroquevillé, sa chemise blanche couverte de sueur, le visage caché derrière un verre de vodka. L'appartement puait l'alcool que sa main tremblante avait éparpillé avant d'atteindre la bouche qu'elle venait abreuver.

Il remarqua Émilie, lui jeta à peine un regard. Son visage était rouge et noyé de larmes.

– T'es contente de ce que tu vois ? T'avais raison de douter, je suis faible !

Émilie fixa le verre vide qu'il lui montrait. Son état était bien pire que la soirée de l'inondation. Elle comprit, alors. Pas de SMS enjoué en sortant de son rendez-vous. Ça ne s'était pas bien passé.

– Une autre banque voudra bien te prendre.

– C'est pas ça, pleura-t-il. Je voulais juste prendre un verre avant, pour me donner du courage et j'en ai pris un deuxième et…

Baptiste éclata d'un nouveau sanglot déchirant.

– Je tenais à peine debout quand je suis arrivé à mon rendez-vous.

À pas de loup, Émilie s'approcha. La dernière fois qu'elle avait voulu lui enlever sa bouteille, le colosse s'était montré agressif mais, que faire d'autre ? Cette fois-ci, il semblait trop occupé à lutter contre lui-même. Quand elle posa ses doigts sur la surface, la main de géant resserra sa prise tandis que son visage implorait de l'aide.

– Ça va aller Baptiste. Je sais que, là, tout de suite, tu penses le contraire, mais ça va aller.

Émilie caressa les veines saillantes sur le dos de la main accrochée au verre, jusqu'à ce qu'il se détende un peu. Assez pour lâcher sa prise. Baptiste n'en était pas moins chamboulé, animé par des soubresauts désespérés. Émilie vint sur ses genoux et le prit dans ses bras, cherchant des mots réconfortants. Le colosse enfouit son visage contre sa poitrine. Elle attendit qu'il se calme, puis qu'il s'endorme avant de s'écrouler aussi, ivre de sommeil.

Émilie n'avait que peu de connaissance sur le fonctionnement de l'addiction et ne s'était jamais demandé comment un objet agréable pouvait prendre possession d'une vie d'une façon néfaste. Le cas d'une drogue comme le café ne présentait aucun problème de compréhension. Le comportement d'un psychotrope représentait de la logique pure. La caféine prenait la place de l'adénosine dans les récepteurs, hormones chargées de ralentir l'afflux nerveux pour conduire à un état de somnolence. Comme le corps cherchait à retrouver son état initial, il devait augmenter la quantité de ses récepteurs sur le long terme. Le consommateur devait donc prendre sa dose quotidienne juste pour se maintenir dans un état d'éveil toute la journée, même après une bonne nuit de sommeil. L'exemple lui plaisait puisqu'une majorité de la population développait une dépendance au café mais presque aucune n'atteignait un stade néfaste pour la vie ou la santé.

Or, ses recherches l'emmenaient vers le terrain plus mystérieux des drogues sans psychotropes. Le sport, le shopping, les jeux vidéo. Des producteurs naturels de dopamine, certes, mais qui ne bousillaient pas le système nerveux pour autant. En l'absence de raisons médicales réelles, ces dépendances se définissaient uniquement par leur comportement compulsif, irréfléchi et antisocial. La difficulté à séparer la passion du caractère pathologique empêchait d'établir un consensus médical. Un homme qui rate une journée de travail pour tester un jeu qu'il attend depuis dix ans est-il malade ? Pas forcément.

Il y avait donc des produits contenant des psychotropes ne générant pas de comportement nuisible et l'exact opposé. En quoi l'éthanol présent dans l'alcool et la caféine différaient tant ? Dans un tableau comparant les préjudices causés par toutes les drogues dites *récréatives*, l'alcool avait été classé parmi les plus dangereux pour la société, avec l'héroïne et aussi dangereux pour son consommateur que la cocaïne. Émilie cliquait sur des liens de plus en plus pointus. Macrocytose, gamma-glutamyltranspeptidase, hypertriglycéridémie. Que de jolis mots mais rien de concret pour lui expliquer pourquoi il y avait tant de consommateurs et si peu de dépendants. Par principe, s'il s'agissait d'un psychotrope, tout le monde devait développer une dépendance forte. Émilie avait arrêté d'en boire depuis une semaine sans ressentir le moindre changement dans son humeur, ses performances mentales ou sa capacité à produire de la dopamine. *A contrario*, Baptiste développait une dépendance très précise. Il semblait boire pour se donner de la confiance mais peinait à s'arrêter.

Émilie frotta ses yeux abîmés à force de lire sur écran. Ces recherches ne la menaient à rien de pertinent. Les causes de la dépendance de Baptiste devaient être psychologiques bien plus que chimiques. Le symptôme d'un autre problème qui n'était pas lié au produit consommé et qui le rongeait. Probablement plus que ce qu'elle voyait sur le haut de l'iceberg. S'il y avait bien une chose à ne pas sous-estimer et que sa licence lui confirmait tous les jours, c'était la complexité psychique d'un être humain. Émilie sentait son cerveau pédaler dans le vide. Elle manquait de connaissances mais aussi du matériel de base ; les névroses de Baptiste. Sauf qu'il serait très dangereux pour leur amitié que l'intégralité de ses petits secrets soit mis à découvert puis anatomisés. Mais alors quoi ? Comment l'aider efficacement ? Le respecter et attendre comme conseillait une majorité des sites ? Facile à dire.

La clé tourna dans la serrure de la porte. Émilie ferma ses pages internet et sortit son téléphone, comme toutes jeunes filles de 18 ans qui se respectent.

– Hoy, fit Baptiste, les courses dans les mains et des écouteurs dans les oreilles. Tu n'oublies pas de libérer l'appartement cet après-midi ?

– J'ai rendez-vous avec mon père, soupira Émilie. C'est Camille, elle veut que Thomas garde un lien avec papa puisqu'il va en devenir un aussi et il m'a suppliée de venir lui tenir compagnie.

– Bon courage, chantonna-t-il.

Baptiste semblait aux anges, plein de la vigueur de son âge et de l'allégresse de la jeunesse. Comme toujours avant de sombrer dans ces crises horribles, humiliantes pour lui, effrayantes pour elle. Cette façon qu'il avait de se réfugier derrière un déni ou un mensonge opaque agaçait Émilie. Comment pouvait-elle l'aider s'il n'était accessible que dans le pire ? Pire, il la mettait dans une position horrible ; celle de la fouteuse de merde.

– Tu veux parler de la dernière fois ? demanda-t-elle.

– Pas du tout.

– Baptiste…

Le colosse sortit une canette de café froid des courses. Il laissa passer le *pshit* de l'ouverture, la gorge serrée, avant de lui répondre :

– Ce. N'est. Pas. Grave. Je me suis dégonflé, j'ai eu peur. Ce projet c'est tout ce qu'il me reste, tu peux pas comprendre ce que ça fait de n'avoir plus qu'un seul plan, tu es trop jeune. Je vais m'y remettre dans une semaine ou deux et voilà.

Émilie se mordit l'intérieur de la joue. C'était comme regarder une voiture accélérer à contre sens sur l'autoroute. Cette histoire ne pouvait pas avoir une fin heureuse.

21

Baptiste coupa sa barbe avec attention. Homogénéiser sans réduire l'épaisseur était un exercice plus compliqué qu'il n'y paraissait, particulièrement sous le menton où il ne voyait pas bien. Avec ses cheveux courts depuis peu, il se trouvait un air moins sympathique mais plus adulte. Parfois, en se regardant devant la glace, il voulait raser cette barbe trop longue, avant de se rappeler le visage rond qui se cachait en dessous. Peut-être finirait-il par la tondre. Baptiste noya ses doigts dans l'amas de poils. Sensation beaucoup trop agréable pour qu'il redevienne imberbe.

Le colosse s'attarda sur son corps massif mais bedonnant. Il joua de la percussion sur son ventre. Peut-être qu'il devrait faire des abdos, pour s'entretenir ? De toute façon, avec tous ces poils et ce gras, personne ne verrait un six packs, d'autant plus parce qu'il n'y avait pas foule pour enlever sa chemise.

Cassandra toqua à la porte quelques minutes plus tard. Ils ne s'étaient pas revus depuis sa garde à vue, alors que Baptiste lui avait décoché une droite par inadvertance. Son ancienne camarade de classe ne lui en voulait pas, son comportement chaleureux pour preuve. À peine deux jours après, il avait reçu de sa part une invitation sur Facebook et une marée de messages. Contrairement à lui, Cassandra n'avait pas attendu avant de vivre sa vie. Un mariage, une fille, un divorce, une année sabbatique pour faire le tour du monde. Rien que ça.

– Tu veux boire quelque chose ? demanda Baptiste alors que son invitée prenait place sur le canapé.

– T'as quoi ?

– Jus, thé, café, peut-être des fonds de sirop.

– Tu aurais une bière ?

– Tu trouveras rien d'alcoolisé chez moi, fit-il dans un rire jaune. Pas une goutte. J'ai une coloc' un peu tyrannique.

– D'accord… Un café alors. Le service de nuit m'épuise, t'as pas idée.

– J'en ai fait pendant un an, j'étais gardien de parking. Il fallait s'accrocher pour ne pas mourir d'ennui. Heureusement j'avais la possibilité de lire.

– Tu m'étonnes. Au moins moi y a de l'animation et on est en équipe. La semaine dernière on avait une dispute conjugale. Le mec voulait pas qu'on monte, il a jeté le micro-onde par la fenêtre, directement sur le parebrise de notre voiture.

La tête de Baptiste apparut depuis la cuisine, les yeux exorbités. Cassandra regardait la bibliothèque de l'entrée, pas traumatisée pour un sou. Il revint avec un café, un thé et deux parts de bavarois fait maison. Quand elle arrivait dans un lieu nouveau, la jeune femme fouillait dans les moindres recoins. Une habitude qu'il lui connaissait depuis le lycée.

– Je suis déçue. Je pensais que tu aurais plus de livres que ça. T'as même pas une bibliothèque pleine.

– Sarah, mon ancienne coloc', est partie avec la moitié. Elle vivait là depuis trois ans et on savait plus à qui appartenait quoi.

– Une coloc' qui part avec la moitié de tes affaires, une autre qui te tyrannise. Pauvre petit loup.

– Enfin quelqu'un pour le dire, merci.

– Vous couchez ensemble ?

Baptiste sursauta, pris de court par cette question saugrenue. Lui et Émilie ? Même sans prendre Hiro en compte, cette idée lui semblait immorale, bien qu'il ne sache pas très bien en quoi. Cassandra éclata d'un rire taquin. Soudain, elle tomba sur un trésor, derrière un livre de Kant. Une pochette en plastique, débordant de feuilles volantes.

– Oh, t'as continué à écrire !

Le colosse sauta sur place pour subtiliser la pochette, qui ne contenait pas un roman mais son projet de librairie-salon de thé. Il leva haut le bras pour le mettre hors d'atteinte des petits sauts de la curieuse.

– C'est rien d'intéressant. J'allais le jeter.

– Montre.

– Si tu continues de chercher, tu vas trouver un manuscrit. Allez, oust.

Cassandra s'accrocha au bras tendu pour essayer de le

descendre à sa hauteur. D'un petit coup de genoux dans les parties intimes, elle obligea Baptiste à se pencher en avant, dans un réflexe primal. Fière de sa réussite, elle ouvrit son sésame sur le canapé. Le rouquin, résigné, s'assit à ses côtés en soupirant. Cassandra ne lui adressa plus la parole pendant plusieurs minutes, concentrée sur sa lecture qu'elle rythmait de petites gorgées de café. Arrivée aux recettes des desserts proposés, elle goûta le bavarois de Baptiste et gémit de plaisir.

    – Excellent. Quand est-ce que tu ouvres ?

    – Jamais.

    – Pourquoi ? J'ai grave envie d'y aller maintenant. T'achèteras les Lévy, hein. C'est pas de la belle lettre mais j'adore trop et ça se vend bien.

    – Aucune banque ne voudra me prêter des fonds. J'ai pas d'expérience, c'est risqué, j'ai pas d'apports.

    – Et alors ? On s'en fout des banques. T'as essayé le reste ? Faire un stage de création d'entreprise, une collaboration avec des gens plus friqués. Tu peux faire une récolte de don sur Ulule, en échange tu promets des bons d'achat. Y a toujours une solution.

    Baptiste se cacha derrière un ricanement du nez désabusé. À l'entendre, réussir n'était qu'une question de bonne volonté et, par conséquent, il n'y arrivait pas par manque d'effort. Elle ne l'avait pas dit mais il lui semblait l'entendre, entre deux propositions farfelues qui avaient marché pour untel, aujourd'hui riche et célèbre. La vérité était pourtant simple ; s'il se remettait à espérer, le prochain échec serait celui de trop.

    Devant son silence, Cassandra comprit son impolitesse :

– Pardon. J'arrive et je pose mes gros sabots, comme d'hab. C'est un très gros projet mais t'es pas tout seul. Je suis sûre que tu as plein de gens derrière toi. Moi en tout cas je le suis.

Cassandra glissa ses mains dans son cou pour capter son regard de miel. Quand elle le trouva un peu apaisé, elle déposa un baiser au coin de ses lèvres. Baptiste se laissa faire, les yeux fermés. Il s'attendait à trouver ça étrange, de la part d'une si vieille amie mais, au contraire, ce chaste contact l'électrisa tout entier. Pourtant, il eut un geste de recul.

– Qu'est-ce que tu fais ? demanda Baptiste

– Je croyais que… je sais pas. C'est parce que j'ai un fils ?

Cassandra soupira, les bras croisés. Compte tenu de son caractère, Baptiste s'attendit à ce qu'elle prenne ses affaires et le laisse en plan mais elle resta, le temps qu'il mette des mots sur ses pensées.

– Ça fait tellement longtemps que personne n'a pensé à moi de cette manière. Je ne suis pas sûr de me rappeler comment m'y prendre.

– A ce point ?

Baptiste se contenta d'écarquiller les yeux. Il ne comptait plus tant la durée lui semblait vertigineuse et, pourtant, le baiser de Cassandra lui avait laissé le goût de l'hésitation. Comme un plat qui manquerait d'une épice mais… laquelle ?

– On pourrait commencer par un rencard, s'il te plaît ? Un cinéma, un resto', comme si on avait encore 20 ans.

Cassandra hocha doucement la tête, un rictus au bord des lèvres.

– On dirait que c'est ton cas. La même pudeur, la même

timidité, des rêves plein la tête. Tout le monde n'est pas fait pour grandir.

Cassandra prit la main de Baptiste et plongea ses yeux clairs dans les siens.

– C'est sûrement toi qui as raison. On ne devrait jamais vieillir.

Après le départ de Cassandra, Baptiste resta un moment à repenser à leur discussion. L'épaule contre la fenêtre, il regardait la pluie tomber. Sa propre hésitation le laissait perplexe. Il ferma les yeux, bercé par le bruit de l'eau courant contre la vitre et, dans le silence de son appartement, il s'imagina un futur.

Cassandra, avec son éducation militaire et son sens inné de l'ordre, travaillerait à ce que leur foyer soit propre et accueillant. Lui serait au fourneau, cherchant des idées pour satisfaire toute la tribu. Il aurait du mal au début à se faire accepter par le fils mais Baptiste avait la fibre ; il y arriverait. Il y aurait un deuxième enfant, pourquoi pas un troisième ? Une maison pleine de vie, de jeux. En bon littéraire ils se prendraient la tête avec les devoirs de maths des petits. Puis son moment à lui. Cassandra ne le laisserait pas abandonner son projet si facilement, il finirait pas y arriver.

Baptiste somnola sur cette hypothèse quasi idyllique, laissant son esprit vagabonder jusqu'au terme de sa vie rêvée. N'était-ce pas exactement l'occasion qu'il attendait depuis si longtemps ?

Le colosse se trouvait si profondément perdu dans ses pensées qu'il se sentit à peine décrocher son téléphone.

– Allô ?

– Salut, Batou. C'est Sarah. Tu vas bien ?

Son cœur s'emballa. La voix de son ancienne colocataire le ramena directement à la réalité.

– Et toi ?

– J'ai un service à te demander. On m'a contactée pour un projet un peu fou. Il serait question d'organiser un festival pour cet été à Montauban et...

– Ta chambre est prise.

– Ok, je m'en fous. Je leur ai répondu que je le ferai à condition que tu participes aussi. C'est pas super bien payé, on va bosser comme des dingues pour rattraper un bordel monstrueux mais...

Baptiste s'appuya contre le rebord de la fenêtre, les jambes en coton.

– Sarah, avant de te répondre, il faut que tu saches quelque chose.

Le silence se fit dans le creux de son oreille. Baptiste s'assit à même son parquet, dans un état second. Il devait lui dire, arracher le pansement une fois pour toutes. Sarah, je t'aime. Juste quelques mots, il pouvait y arriver.

– Baptiste ?

– Oui, pardon. Juste ma voiture est au garage avec un joint de culasse, c'est possible que je sois pas véhiculé d'ici cet été.

– Ça ne fera qu'une complexité supplémentaire, pas grand-chose. Je ne t'appelle pas pour ton appartement ou ta voiture, mais parce que je me vois pas partir dans un projet aussi fou sans toi. J'arrive à rien seule, j'ai essayé, ça n'a pas marché. Tu me suis ?

L'émotion lui noua la gorge. Baptiste sentait au fond de lui cette évidence, comme une pièce qui trouve sa place dans un puzzle encore incomplet. Son futur serait avec Sarah ou ne serait pas.

– Je te suivrais jusqu'au bout du monde, répondit-il.

22

– Demain ou la semaine prochaine ? demandait Thomas à sa sœur.

– Hmm ? grogna-t-elle.

– Le jour de ton suicide. Demain ou la semaine prochaine ? Vu ta tête, je dirais demain.

Émilie lui adressa un glorieux doigt d'honneur. Il avait chuchoté sa mauvaise blague pour que personne d'autre à table ne l'entende mais le geste de l'étudiante ne passa pas inaperçu.

– Thomas, laisse ta sœur tranquille, tonnait leur père, le nez rouge après un troisième verre de vin.

– Mais elle dit rien depuis le début du repas ! Je suis coincé entre une baleine que je supporte déjà toute la journée et une pierre tombale !

– Ça pourrait être pire, réagit ladite baleine qui entamait son quatrième mois de grossesse. Tu pourrais être en bout de table à côté d'un macaque décérébré. Puis c'est pas comme s'il y avait un océan entre toi et ton père.

Thomas se renfrogna. Le pauvre n'avait pas mérité de se faire tacler de tous les côtés, même si c'était drôle à voir. Émilie se redressa sur sa chaise, essayant d'être un peu plus présente à table.

L'ambiance était loin d'être électrique. Chacun parlait de son travail, d'actualité politique, et Émilie prenait sur elle pour ne pas réagir, ou le plus succinctement possible. Son but aujourd'hui était de ne pas faire de vague et de ne surtout pas avoir de conversation avec son père.

– D'ailleurs, commença-t-il. Comment se sont passés tes partiels ?

– Bien.

– C'est tout ? insista-t-il. J'avais cru comprendre que tu aurais les résultats à cette date. Peut-être pourrais-tu nous les partager ?

Thomas lui donna un coup de genou sous la table. Émilie serra le poing pour ne pas sursauter. Puisqu'elle n'avait pas le choix.

– Enfin, reprit-elle. J'ai validé toutes mes matières. Il n'y a pas grand-chose à dire sur le partiel en lui-même, en première année il y a les bases à apprendre donc c'était assez dense mais pas forcément compliqué.

– Qu'est-ce que tu as appris de beau ?

– Définir ce qui caractérise une dissonance cognitive, l'effet Pygmalion, la différence entre caractère et attitude, etc.

Émilie mentait farouchement pour ne pas avouer la purge qu'avaient été ses partiels. De panique, elle avait oublié les réponses les plus évidentes, confondu les définitions, au point de se demander parfois si elle n'était pas mentalement limitée. Les résultats officiellement annoncés, elle pouvait se cacher derrière une fausse assurance.

– Je connais Pygmalion, fit Thomas. C'est dans les métamorphoses d'Ovide.

– Presque rien à voir avec le sculpteur. C'est le principe selon lequel le jugement préalable d'une autorité influe sur les performances de succès. En pédagogie, c'est le fait qu'un élève s'améliore plus vite s'il sent que son enseignant a confiance en ses capacités. L'effet Golem c'est l'inverse.

– Mouais, fit son père en guise de conclusion. Des trucs pour détourner la responsabilité de l'élève. S'il ne réussit pas, c'est parce qu'il ne travaille pas, un point c'est tout.

Émilie se mordit la lèvre inférieure. Après une longue discussion sur le sujet avec Benjamin, elle se sentait capable de démonter tous les arguments du monde. Mais c'était une simple réunion de famille. Laisser couler, laisser couler, laisser couler. Camille se sentit obligée d'intervenir.

– Une influence n'est pas forcément la cause majoritaire et encore moins la seule. Pourquoi n'auriez-vous pas tous les deux raison ? Un élève ne travaille pas parce qu'il ne ressent pas l'intérêt de l'effort, parfois à cause du comportement des adultes qui l'entourent.

Pascal jeta sa serviette sur la table. Voilà. Pour lui, la discussion s'arrêtait là. Si son caractère n'était pas facile à vivre en temps normal, l'excès de travail le rendait encore plus irritable.

Mathilde, la belle-mère, relança la conversation sur un tout autre sujet. À l'inverse de tous les autres membres de la table, elle avait le don d'arrêter les conflits sans prendre parti. Elle avait une autre qualité qu'Émilie appréciait beaucoup ; valoriser son prochain. Même dans les situations les plus stupides, elle parvenait à trouver un positif réconfortant. Au moment du café, alors qu'ils sortaient tous de table pour se dégourdir les jambes, Émilie l'accompagna fumer. L'occasion de prendre enfin des nouvelles sérieuses. Comment elle allait, son travail, ses migraines, les chats, tous ces sujets où Pascal avait le mauvais réflexe de répondre à sa place. Malgré tout, son père restait dans la conversation comme une ombre et sa belle-mère ne manquait pas une occasion de prendre sa défense.

— Tu sais, ton père travaille vraiment très dur en ce moment. Même moi je ne le vois jamais. Il s'épuise et ça le rend bougon.

— Bougon... Un peu plus que ça peut-être.

Mathilde leva une main théâtrale pour essuyer d'un revers la question.

— Mais je comprends ce que tu veux dire, reprit Émilie. Mon pote Julien aussi suit un rythme intenable. Du peu que je le vois, il n'est pas lui-même. N'empêche...

— Ratata rien du tout. Tu devrais le soutenir, il essaye d'accomplir quelque chose qui lui tient à cœur avant la retraite. Lui aussi il devrait te soutenir un peu plus au lieu de te chercher des poux. Mais ça vous avance à quoi si vous vous tirez dans les pattes comme ça ? D'attendre que l'autre fasse le premier pas ?

Émilie esquissa un sourire. Mathilde avait cette manière d'être si particulière, tout en expression corporelle à la fois légère et naïve, qui donnait envie de ne pas la contredire. De là à appliquer ses conseils, il ne fallait pas exagérer. Mathilde écrasa le mégot de sa cigarette et retourna à l'intérieur.

Émilie profita de ce moment de solitude pour appeler Hiro. Elle avait besoin d'entendre sa voix avant de repartir dans la gueule du loup. Sa petite amie décrocha rapidement mais le téléphone cracha un brouhaha confus, presque identifiable à une agression. Juste avant qu'elle ne s'inquiète, Hiro parla enfin :

– Je suis en train d'habiller Kyo. Tu voulais quelque chose ?

– Rien de particulier, tu me manquais.

– Quoi ? C'est quoi ton problème, tu adores le jaune... Il est sale le rouge je te dis.

– Tu veux que je te rappelle plus tard ?

– Non ! Enfin, oui, mais je sais pas quand. Je l'emmène à la batterie après je bosse et je voulais passer la soirée en famille. Minuit, l'heure du crime ?

– Laisse tomber, ça peut attendre.

– Si, si, on va trouver un créneau. Kyo tu mets tes chaussures mon chaton ? Comment ça tu sais pas faire ? J'arrive.

Émilie entendit la suite dans un bruit diffus. Ils parlaient en japonais et riaient doucement. L'étudiante sursauta quand Hiro reprit, le bruit de fond avait cessé :

– J'ai cinq minutes maintenant.

Du coup, Émilie ne savait plus quoi dire.

– Heum… Tu vas bien ? finit-elle par demander.

– Tu me manques aussi, j'ai hâte de te revoir.

– On devrait aller à la mer, quand il fera beau.

Émilie regardait les nuages lourds de pluie qui arrivaient du centre-ville.

– C'est une bonne idée. Au fait, tu diras à Baptiste que j'ai eu son message mais que je l'appelle que demain ?

– Quel message ?

– Il te l'a envoyé. En bref il part quelques mois à Montauban, j'ai pas tout compris.

– Quoi ? Quand ? Pourquoi ?

– J'en sais rien demande-lui. Il va rejoindre Sarah.

– Sarah ? Il faut le raisonner. Après son histoire de banque, il n'est pas en état de prendre des décisions importantes.

– Pourquoi pas, c'est sa vie.

– Tu n'étais pas là quand je l'ai trouvé au fond du trou. J'ai promis que je l'aiderais.

– Aider quelqu'un ce n'est pas aller contre sa volonté.

– Bien sûr que si. Parfois, il faut.

Émilie sentit Hiro lever les yeux au ciel. Son comportement l'exaspérait. Derrière sa prétendue bienveillance se cachaient une indifférence irresponsable et, probablement, beaucoup d'égoïsme. Hiro, toujours là pour les bons moments et absente aux autres. Son silence, à des centaines de kilomètres de distance, ressemblait à de la lâcheté. Émilie eut envie de lui faire mal, par vengeance.

– Tu sais quoi ? T'es trop occupée avec ta famille pour penser aux autres. Reste dans ton petit Paris d'amour et puisque tu t'en fous de nous, tu peux même les suivre dans leur prochaine destination. Je ne te retiens pas.

Silence, encore. Émilie écarta son oreille de l'appareil, Hiro avait raccroché quelque part pendant son monologue assassin. Elle en aurait jeté le téléphone contre un mur.

Ne la voyant pas revenir, Thomas sortit à son tour. Il trouva sa sœur assise dans l'escalier, les joues humides.

– Hey, mon petit canard en sucre.

Thomas passa son bras par-dessus les épaules d'Émilie pour la garder contre lui. Sa sœur étouffa un sanglot.

– Ça ne marche pas. On se dispute tout le temps ou alors on a rien à se dire et ça devient stupide.

– Qu'est-ce qui s'est passé ?

– Rien, j'ai tout provoqué.

Émilie enfonça sa tête dans le creux de son épaule. Son frère lui embrassa le sommet du crâne.

– Quand je l'ai en face, c'est si évident et, là, ça ne l'est plus. Le vrai amour ne devrait pas être aussi fragile. Je ne devrais pas être capable de m'habituer à son absence.

– Pourquoi ? En quoi une relation entre deux êtres humains imparfaits devrait être aussi facile ? Même avec Camille on s'engueule. On est ensemble depuis... pouf, une éternité, et je continue à douter de temps en temps. En plus, il n'y a rien de simple dans une relation à distance. Quand ça nous arrive pour le boulot je le vis mal et je commence à lui reprocher tout et

ÉLISE MARTY-GAY

n'importe quoi parce que je n'assume pas d'avoir envie de l'enfermer dans une tour à la Raiponce.

– Baptiste va abandonner le rêve de sa vie à un cheveu d'y arriver par amour. Mais cette fille, je crois qu'elle ne l'aime pas. J'ai l'impression de le regarder foncer dans un mur et que personne n'accepte de voir qu'il se plante. Je devrais peut-être l'enfermer dans une tour, pour le coup.

– C'est qui Baptiste ?

– Mon coloc. Il est fragile en ce moment, il a 30 ans, pas de travail et, je crois, un début d'alcoolisme.

– Quoi ? hurla une voix.

Émilie et son frère se tournèrent vers une fenêtre où la tête de leur père dépassait. Son visage rougissait de colère.

– Comment ça tu es en colocation avec un parasite pareil ? Je t'interdis de partager ton appartement avec un rat d'égout.

– C'est son appartement, pas le tien.

– Mais tu es complètement inconsciente, ma parole ! Il a deux fois ton âge, qui sait ce qu'il pourrait faire de toi. Et en plus tu dis que c'est un ivrogne ? Jeune fille, tu vas arrêter les frais maintenant.

Son visage disparut le temps qu'il ouvre la porte d'entrée. Émilie se releva pour ne pas se sentir toisée.

– À partir d'aujourd'hui tu habites ici, reprit Pascal. Plus de soirées, plus de rencontres bizarroïdes, je ne te laisserai pas crever dans un caniveau, entourée de punk à chien.

– De quoi tu te mêles ?

– De ta vie ! Je suis ton père.

Thomas fit un pas en arrière. Il ne prit pas le risque d'intervenir dans une dispute qui montait crescendo dans les tons.

– Et je suis majeure.

– *Big deal* ! Cette fois tu ne me feras pas passer pour un tyran. Je ne m'excuserai pas d'essayer de te protéger.

– Tu ne me protèges de rien. Tu protèges une image que tu as de moi et elle n'a rien à voir avec la réalité. Tu n'as aucune idée de qui je suis.

– Je fais avec ce que tu me donnes ! Ça fait des années que tu ne me laisses plus l'occasion de te connaître.

– Et ça te surprend ? Tu n'arrêtes pas de critiquer tout ce que je fais et que tu ne ferais pas à ma place. Tu détestes ma filière, tu détestes mon corps et maintenant tu détestes mes amis sans les rencontrer. Sauf que c'est ça, ce que je suis. Je suis une étudiante en psychologie avec un peu de cellulite, je fréquente des gens très différents de moi parce que cette différence me fait grandir. Mais, tu sais quoi ? Je suis heureuse comme je ne l'ai jamais été. Je me sens à ma place, je me sens belle et soutenue. Je me sens en sécurité et, ça, tu n'as jamais réussi à me le donner même quand je te disais tout.

Pascal s'assit contre la rambarde. Sa figure élancée se ratatina, sa tête s'enfonça dans sa nuque. Il semblait, pour une fois, sincèrement impacté par ce qu'il se passait.

– Tu me détestes à ce point ? murmura-t-il. Je suis dur, je le sais, mais c'est pour te protéger.

Émilie se retint de justesse de répondre sous le coup de la colère. Les larmes revenaient s'agglutiner dans ses yeux.

– Tu m'étouffes. Je fais sûrement des centaines de conneries à la minute et j'en regretterai peut-être la moitié mais ton comportement m'empêche d'exister par moi-même. J'ai encore besoin d'un père, j'en ai même plus besoin que jamais parce que j'ai aucune foutue idée de ce que je fais la plupart du temps. Sauf que j'ai besoin de conseils, pas que tu m'imposes ton opinion comme la seule vérité po… oh, putain, c'est ça.

Émilie plongea sa tête dans ses mains. C'était la philosophie que Hiro défendait. Elles devaient conseiller Baptiste, le soutenir peu importe sa décision et le récupérer s'il se trompait. À répéter autant de fois que nécessaire jusqu'à ce qu'il apprenne la leçon ou prouve qu'il avait raison depuis le début. En fait, il n'y avait pas d'autre solution à moins de le priver de son libre arbitre et, donc, de l'étouffer comme son père le faisait.

C'était pareil pour Julien. Émilie avait choisi Julie à sa place. Elle avait imposé sa décision uniquement parce que cette nuit-là, elle avait espéré être libre de refaire sa vie. Comportement tellement égoïste. Un banal transfert.

L'étudiante renifla un grand coup et pointa son père du doigt.

— Je me comporte exactement comme toi.

Pascal fronça les sourcils, perplexe et aussi un peu fier.

— Je vais tout te dire, continua Émilie. Tu vas m'écouter jusqu'au bout et ensuite tu me diras ce que tu en penses et je choisirai ce que je dois faire.

— Je n'aime pas le ton que tu…

— Papa ! hurla Thomas. C'est pas le moment.

23

Hiro passa sa main devant son visage pour en décontracter les muscles. Pendant les quatre prochaines heures, elle devait se montrer souriante et avenante, ses problèmes devaient rester aux vestiaires.

Travailler dans la sandwicherie d'un aéroport n'était pas le métier le plus épanouissant du monde. Les clients étaient pressés, râleurs, dégoûtés de revenir si vite de vacances. La fin de son service arrivait comme une libération.

Devant l'aéroport, sa collègue lui proposa une cigarette, excuse pour lui raconter sa vie. Pour fêter leurs six mois de relation, elle et son copain devaient se retrouver devant un cinéma, avant de se rendre dans un restaurant à tomber par terre. Elle prévoyait ensuite une balade dans un parc et, de retour à l'appartement, un dernier acte sur fond de musique et ambiance tamisée. Simple, romantique, cliché. Hiro bavait d'envie.

Avec son style de vie, sortir au restaurant représentait une sorte de rêve improbable. À chaque fois, elle devait économiser pendant des semaines, voire des mois. Ou alors un Poivre Rouge, formule du midi, sans boisson. Romantisme assuré. Quoique, tel que c'était parti elle et Émilie ne fêteraient jamais les six mois.

La mauvaise humeur d'Hiro la suivit jusqu'à l'appartement et, parce qu'il n'avait que quatre ans, Kyo aspira ces mauvaises ondes jusqu'à les ressentir lui-même. Ses premiers pas dans l'appartement furent accueillis d'une remarque de sa mère :

– Enlevez vos chaussures, vous allez tout salir.

Hiro soupira.

– Ça fait chier, surenchérit Kyo beaucoup trop fort.

La tête de Natsuki dépassa soudain du canapé, des éclairs dans les yeux.

– Qu'est-ce que tu viens de dire ?

Sentant la tempête arriver, le garçon pointa sa sœur du doigt dans un réflexe de survie.

– C'est Sakura qui me l'a appris.

Hiro se souvenait tout à fait de ce trajet en bus où elle avait trouvé amusant de voir cette toute petite bouche prononcer des vulgarités abominables. À ce moment, elle aurait pu se douter que cette blague lui retomberait sur le coin du nez. Natsuki posa un pied au sol, prête à exploser.

– Fuis !

Son frère sous le bras, Hiro dévala les escaliers quatre à quatre, jusqu'à la cour intérieure de leur immeuble. Là, en sécurité, elle observa sa mère s'égosiller depuis la fenêtre.

– Remonte tout de suite ! C'est un ordre !

S'il y avait bien un chapitre de l'éducation sur lequel Natsuki mettait un point d'honneur, c'était la politesse. Pour d'obscures raisons, elle supportait les comportements les plus socialement inacceptables, tant que le parler restait correct. Une des raisons, peut-être, expliquant pourquoi elle ne s'était jamais sentie à l'aise avec la culture française.

Hiro mit ses mains en coupe pour lui répondre.

– Pas avant que tu me promettes que tu ne vas pas nous frapper.

– Tu rêves !

– Alors on va attendre que tu te calmes.

Hiro esquiva un livre jeté par la fenêtre, puis un deuxième avant de se cacher dans un coin hors d'atteinte. Au bout de son bras, Kyo tremblait comme une feuille, persuadé qu'elle le punirait pour le reste de sa vie. Bien plus flegmatique, sa sœur s'assit en tailleur et lui proposa de passer le temps avec un shifumi.

Yusuke vint les chercher à son retour du travail, sa démarche excédée valait tous les mots du monde. Il parla à son fils avec douceur, le priant de rentrer prendre son goûter et, chose faite, se posa seul à côté de sa fille.

– Déjà en train de lui apprendre à faire des bêtises.

– Qu'est-ce que tu crois ? Je prends mon rôle de grande sœur très au sérieux.

Yusuke desserra sa cravate d'une main et, de l'autre, lui caressa le sommet de la tête.

– J'ai eu la confirmation d'Harvard, continua-t-il sur un autre sujet. On s'en va bien ce soir.

Le cœur d'Hiro se serra. Elle avait beau le savoir depuis le début, penser à leur départ faisait toujours aussi mal. Il ne reviendrait en France que l'année prochaine et, en attendant, ils souffriraient de toute la complexité du décalage horaire et d'un emploi du temps contraignant.

– Il paraît que tu as promis à Kyo que tu ne le laisserais jamais. Si tu veux nous suivre, ta mère et moi n'y voyons aucun inconvénient. Au contraire.

Tout recommencer après des années d'errances. Retrouver une famille et se bercer dans l'espoir que le temps perdu se rattrapait, qu'après tout, elle n'était pas beaucoup plus mature qu'à 16 ans. Voir son frère grandir au jour le jour, l'accompagner dans son quotidien, ses peines et ses joies. Hiro laissa couler ce rêve entre ses doigts.

– Émilie m'attend.

– Bien, fit-il en s'humectant les lèvres, déçu. Si tu changes d'avis, tu as notre adresse. La porte restera ouverte.

– Ma vie me plaît ici. Elle est stable et rassurante et pleine de monde.

– Ne t'imagine pas que je te montre ça par calcul. Je voulais en parler avec toi avant de partir.

Yusuke tendit une carte de visite à sa fille. Une entreprise américaine, à New York.

– C'est un ami qui a un cabinet d'architecture. Si tu veux il pourra te prendre en stage là-bas. Je sais que tu en as assez de ta situation professionnelle et tu es capable de grandes choses, tu es encore jeune. Je ne connais personne à Paris mais tu peux apprendre les bases là-bas et ensuite tu feras ta vie où tu veux.

Hiro joua un moment avec la carte. C'était une occasion en or. L'opportunité d'une vie.

– Je la garde. On verra.

– Puisqu'on en est aux confidences, j'en profite pour te dire que je suis très fier de la personne que tu es devenue. Je n'aurais pas pu espérer meilleure fille.

Yusuke ne l'embrassa pas, il ne la prit pas non plus dans ses bras. Ce n'était pas l'habitude de la maison. Au lieu de ça il se releva, faisant craquer ses genoux et remonta en direction de l'appartement. Il entra en premier pour calmer sa femme encore en furie et, tous ensemble, ils firent les valises. Hiro se prépara à refermer cette parenthèse de sa vie. Cette douce parenthèse beaucoup trop courte. Elle garda avec elle la satisfaction de savoir que ce n'était pas un adieu.

Au retour de l'aéroport, tard dans la nuit, Hiro fit un crochet vers la gare d'Austerlitz, à l'endroit exact où elle avait pris la fuite des années plus tôt. Elle se souvenait encore parfaitement de ce jour où le train avait démarré, Yusuke à sa poursuite. Elle avait regardé son père courir à en perdre haleine, sans ressentir la gravité de la situation.

Le fantôme de son passé s'éloigna doucement, comme une pincée de sucre se dissolvant dans un verre d'eau.

Hiro resta observer les voyageurs, avec leurs gros sacs sur le dos, leurs valises. Il n'y avait pas la même ambiance désagréable que dans les aéroports. Les gens couraient moins, ils n'y avaient pas ces pièces grouillantes entre deux correspondances ou ces longues files d'attente à la sécurité. Les trains s'arrêtaient, les gens sortaient sans attendre et, leurs affaires déjà prêtes, ils partaient découvrir la ville ou rentrer chez eux. Hiro sourit. Elle venait de voir dans la foule un tshirt des Stones exactement comme le sien. Des cheveux blonds.

Hiro bouscula la foule pour passer. C'était le sien. Son regard capta les pupilles vertes d'Émilie sans y croire. Elle toucha son visage pour s'assurer qu'elle ne rêvait pas. C'était bien elle.

– Qu'est-ce que tu fais là ? demanda Émilie.

– Pourquoi tu ne m'as pas prévenue ?

– Je ne voulais pas de témoin. Pour faire ça.

Émilie prit possession de ses lèvres avec un appétit adolescent. Insatiable, passionnée, comme pour rattraper tous ceux qu'elle n'avait pas pu faire ces dernières semaines. Elle ne s'écarta que pour respirer et lui dire :

– Je suis désolée pour la dernière fois. Je ne veux pas que tu t'en ailles, je ne veux pas que tu fasses ta vie sans moi. Je t'aime.

Hiro sourit.

– J'en ai pas douté une seule seconde.

Elle attrapa la valise de l'étudiante et la guida dans le labyrinthe de la gare. Émilie restait jusqu'à la fin de son contrat à la sandwicherie, billets payés par son père.

– Par ton père ? s'étonna la japonaise.

– Lui-même. Alors il est passé par toutes les couleurs de l'arcen-ciel mais je m'attendais à pire. Je pense qu'il avait peur que je lui dise que j'avais un faible pour Baptiste, ça a joué en ma faveur dans le contexte. Ou bien il garde ses remarques pour le prochain repas de famille.

– C'est une bonne nouvelle.

– Presque. Il veut te rencontrer maintenant. Désolée.

– Maintenant, maintenant ? Parce qu'aujourd'hui c'est mon jour de repos et je me disais... Il y a le Sacré-Cœur, le pont des Arts, un appartement pour nous.

Émilie hocha doucement la tête, pensive.

– Et, en même temps, j'ai l'impression qu'il va pleuvoir. On devrait aller directement à l'appartement.

Les filles sortirent sous un soleil radieux de printemps. Hiro leva la tête, la main en visière pour ne pas être éblouie par le soleil.

– Tu as raison, ça se couvre. On va pas prendre le risque de se tremper, ce serait un coup à tomber malade.

L'étudiante gloussa.

Émilie plongea ses mains dans les cheveux de son doudou ensommeillé qui, de plaisir, eut un petit gémissement. Hiro sortit de son sommeil pour s'accrocher à son cou. Sa respiration régulière, parfois entrecoupée d'un léger sifflement, glissait contre sa peau comme une caresse.

– Mon cœur, murmura Émilie à son oreille. Baptiste t'a envoyé un message pendant que tu dormais, il veut vraiment que tu le rappelles.

Hiro se retourna en gémissant. Elle se frotta les paupières encore lourdes de sommeil.

– Je sais pas quoi lui dire, moi. Imagine il hésite et veut mon avis ?

– Ou alors il veut juste savoir si tu reviens dans son appartement avant de résilier le bail.

– Ah, oui, sûrement.

Hiro se redressa, prit son téléphone et s'éloigna dans la pièce d'à côté. Ils parlèrent quelques minutes, Émilie en profita pour somnoler encore un peu. De sa place elle voyait les fenêtres de l'immeuble d'en face et, elle en était sûre, les voisins pouvaient la voir aussi. Paris, ville de vicelards ?

Hiro revint directement se réfugier dans le lit, la tête sur le ventre d'Émilie. Elle fit un rapide résumé de la conversation et, notamment, tous les détails du départ de Baptiste.

– Tu es sûre qu'on ne devrait pas en parler avec lui ? marmonna Émilie. Personne ne devrait avoir à prendre ce genre de décision seul. Son avenir professionnel ou une fille qu'il aime ? Il y a trop en jeu.

– J'espère que ça ira pour lui. On ne pourra jamais savoir quel était le meilleur choix mais j'espère qu'il trouvera ce qu'il cherche à Montauban. S'il le sent vraiment dans ses tripes, j'imagine que ça ne peut pas être une erreur, non ?

Émilie haussa les épaules. Venir ici avait été une décision viscérale qui impliquerait probablement de passer quelques partiels aux rattrapages. Un dilemme beaucoup moins compliqué à trancher.

– Peut-être, soupira Émilie. Qu'est-ce que tu aurais fait dans sa situation, toi ?

– Je l'ai été, j'ai pris la même.

Hiro se redressa encore, cette fois pour prendre une carte qui traînait sur la table basse. Elle la tendit à Émilie qui déchiffra le nom de l'entreprise, un téléphone et un mail.

– Mon père me pistonne. C'est un cabinet d'architecte, à New York.

Émilie se pinça les lèvres. Sa main chercha le menton de Hiro pour le caresser doucement. Elle voyait très bien où cette discussion allait les emmener.

– Tu veux y aller ? demanda-t-elle.

– Je suis en train de te dire que je te choisis, là.

– Ça ne répond pas à ma question.

Hiro leva les yeux au ciel.

– Je ne sais pas. Je n'aime pas New York mais je n'ai pas le bac et il me faudrait des années, peut-être toute une vie avant d'avoir ce genre de stage en France.

– J'ai du mal à croire que ce soit si simple.

– Simple, non. Connaissant les loustics je vais faire le café pendant des semaines et, s'ils me donnent une chance, j'aurai intérêt à ne pas compter mes heures. Je ne sais pas si j'ai le profil pour, je ne suis pas carriériste. En même temps, je suis fatiguée de la précarité et on vieillit mal dans mes petits boulots. Tu en penses quoi ?

– Je ne recommence pas une relation à distance.

Émilie se releva sur ses coudes, pour voir le visage de Hiro. Elle fixait le plafond, une moue étrange tordant ses lèvres.

– Je te suivrai, continua-t-elle. Je veux dire, je suis à peu près convaincue de détester New York mais quelle que soit ta décision je veux qu'on puisse en discuter ensemble et qu'on réfléchisse aux possibilités. Je peux étudier à l'étranger une année, ce serait bon pour mon anglais et si tu décides de rester dans la restauration quand même ou de reprendre des études, on peut l'envisager. Ma seule certitude c'est que ça ira, tant qu'on restera ensemble.

Hiro posa la carte sur la table de nuit. Sa grimace avait disparu.

– *Kekkon shite kudasai.*

– Ça veut dire quoi ?

– Faut que tu répondes par oui ou par non.

Émilie fronça les sourcils, essayant de percer le mystère à travers le regard perçant de la japonaise, sans y parvenir.

– Oui ?

Hiro sourit, satisfaite de la réponse.

– Ça veut dire quoi ? insista-t-elle.

– C'est joli, Émilie Watanabe, ça t'ira très bien.

Émilie prit son oreiller pour s'en couvrir le visage. Hiro en profita pour l'écraser de tout son poids.

– Trop tard, t'as dit oui, pas de retour en arrière.

L'étudiante riait sous le coussin, feignant le refus pour l'embêter. Hiro lui arracha le tissu qui vola dans la pièce.

– Hiro Zaborowski ? demanda Émilie à visage découvert.

– Sérieux ? C'est ton nom de famille ?

– Polonaise, se contenta-t-elle de répondre.

La japonaise croisa les bras, pesant le pour et le contre.

– Pourquoi pas. Sakura Zaborowski.

REMERCIEMENTS :

Ce roman ne serait rien sans toutes les personnes m'ayant accompagnée durant les cinq années de sa rédaction. Sans oser les citer tous de peur d'en oublier, je me contenterai de ma femme. Merci Sonia d'avoir réussi à me maintenir en vie jusqu'à aujourd'hui. C'est un travail de tous les instants et tu t'en sors divinement bien depuis déjà douze ans.

Merci aussi à Arthur Cavagné d'avoir créé des illustrations au moment où j'en ai eu besoin et la dernière version de la couverture. Après tout ce temps, je voulais un résultat visuel, la publication n'a été qu'un bon prétexte. Ta patience est égale à ton cynisme, c'est-à-dire sans limite.

Bien sûr un chaleureux merci à tous les futurs lecteurs. Je ne peux pas vous nommer puisque vous n'existez pas encore mais je vous aime déjà. Une histoire ne vit jamais vraiment qu'à travers votre mémoire.

Et enfin, merci à Émilie, à Hiro et à Baptiste de m'avoir tenu compagnie au quotidien pendant toutes ces années.

Retrouvez-moi sur les réseaux sociaux pour tout savoir de mes futures publications !

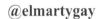